故宫经典 CLASSICS OF THE FORBIDDEN CITY
TIMEPIECES IN THE IMPERIAL PALACE

故宫钟表图典

故宫博物院编
EDITED BY
THE PALACE MUSEUM
故宫出版社
THE
FORBIDDEN CITY
PUBLISHING HOUSE

图书在版编目（CIP）数据

故宫钟表图典：汉英对照／故宫博物院编 .—北京：故宫出版社，2008.4（2019.8 重印）

（故宫经典）

ISBN 978-7-80047-639-6

Ⅰ . 故… Ⅱ . 故… Ⅲ . 钟表－世界－图录

Ⅳ .K865.22

中国版本图书馆 CIP 数据核字（2007）第 105795 号

编辑出版委员会

主　任	郑欣淼
副主任	李　季　李文儒
委　员	晋宏逵　王亚民　陈丽华　段　勇　肖燕翼
	冯乃恩　余　辉　胡　锤　张　荣　胡建中　阎宏斌　宋纪蓉
	朱赛虹　章宏伟　赵国英　傅红展　赵　杨　马海轩　娄　玮

故宫经典

故宫钟表图典

故宫博物院编

撰　　稿：关雪玲　张楠平　恽丽梅　郭福祥

英文翻译：李绍毅　袁　宏

摄　　影：胡　锤　刘志岗　赵　山　冯　辉

图片资料：故宫博物院资料信息中心

责任编辑：万　钧

装帧设计：李　猛

出版发行：故宫出版社

　　　　　地址：北京市东城区景山前街 4 号　邮编：100009

　　　　　电话：010-85117378　010-85117596　传真：010-65129479

　　　　　邮箱：ggzjc@vip.sohu.com

制版印刷：北京圣彩虹制版印刷技术有限公司

开　　本：889×1194 毫米　1/12

印　　张：23.5

字　　数：120 千字

图　　版：236 幅

版　　次：2008 年 4 月第 1 版

　　　　　2019 年 8 月第 4 次印刷

印　　数：6,500 ~ 8,500 册

书　　号：ISBN 978-7-80047-639-6

定　　价：360.00 元

经典故宫与《故宫经典》 郑欣淼

　　故宫文化，从一定意义上说是经典文化。从故宫的地位、作用及其内涵看，故宫文化是以皇帝、皇宫、皇权为核心的帝王文化、皇家文化，或者说是宫廷文化。皇帝是历史的产物。在漫长的中国封建社会里，皇帝是国家的象征，是专制主义中央集权的核心。同样，以皇帝为核心的宫廷是国家的中心。故宫文化不是局部的，也不是地方性的，无疑属于大传统，是上层的、主流的，属于中国传统文化中最为堂皇的部分，但是它又和民间的文化传统有着千丝万缕的关系。

　　故宫文化具有独特性、丰富性、整体性以及象征性的特点。从物质层面看，故宫只是一座古建筑群，但它不是一般的古建筑，而是皇宫。中国历来讲究器以载道，故宫及其皇家收藏凝聚了传统的特别是辉煌时期的中国文化，是几千年中国的器用典章、国家制度、意识形态、科学技术以及学术、艺术等积累的结晶，既是中国传统文化精神的物质载体，也成为中国传统文化最有代表性的象征物，就像金字塔之于古埃及、雅典卫城神庙之于希腊一样。因此，从这个意义上说，故宫文化是经典文化。

　　经典具有权威性。故宫体现了中华文明的精华，它的地位和价值是不可替代的。经典具有不朽性。故宫属于历史遗产，它是中华五千年历史文化的沉淀，蕴含着中华民族生生不已的创造和精神，具有不竭的历史生命。经典具有传统性。传统的本质是主体活动的延承，故宫所代表的中国历史文化与当代中国是一脉相承的，中国传统文化与今天的文化建设是相连的。对于任何一个民族、一个国家来说，经典文化永远都是其生命的依托、精神的支撑和创新的源泉，都是其得以存续和赓延的筋络与血脉。

　　对于经典故宫的诠释与宣传，有着多种的形式。对故宫进行形象的数字化宣传，拍摄类似《故宫》纪录片等影像作品，这是大众传媒的努力；而以精美的图书展现故宫的内蕴，则是许多出版社的追求。

　　多年来，故宫出版社出版了不少好的图书。同时，国内外其他出版社也出版了许多故宫博物院编写的好书。这些图书经过十余年、甚至二十年的沉淀，在读者心目中树立了"故宫经典"的印象，成为品牌性图书。它们的影响并没有随着时间推移变得模糊起来，而是历久弥新，成为读者心中的经典图书。

　　于是，现在就有了故宫出版社的《故宫经典》丛书。《国宝》、《紫禁城宫殿》、《清代宫廷生活》、《紫禁城宫殿建筑装饰——内檐装修图典》、《清代宫廷包装艺术》等享誉已久的图书，又以新的面目展示给读者。而且，故宫博物院正在出版和将要出版一系列经典图书。随着这些图书的编辑出版，将更加有助于读者对故宫的了解和对中国传统文化的认识。

　　《故宫经典》丛书的策划，这无疑是个好的创意和思路。我希望这套丛书不断出下去，而且越出越好。经典故宫藉《故宫经典》使其丰厚蕴含得到不断发掘，《故宫经典》则赖经典故宫而声名更为广远。

目 录

Contents

序

1601年，儒服儒冠的天主教耶稣会传教士利玛窦以贡献方物的名义，风尘仆仆来到京师。

这位在中国已煞费苦心近20年的意大利人，用以叩开紫禁城大门的，是包括两架自鸣钟在内的一些西洋奇器。他实现了梦寐以求的觐见皇帝并得到赞许的目的，取得了在京居留权。新奇的自鸣钟则使万历皇帝颇感兴趣，遂将其置于御几，时常观赏。明清之际以传教士为媒介的中西文化交流史上有着特殊意义的一页，就是这么揭开的。

明亡清兴，江山鼎革。但传教士仍把进献奇器作为亲近中国皇帝的重要手段，而大清皇帝与大明君主在对待西洋奇器上也有着相同的癖好。德国人汤若望不失时机地率先向顺治帝进献了一架极为奇巧的天体自鸣钟，还特意写了一篇《天体自鸣钟说略》的介绍文章。"昼夜循环胜刻漏，绸缪宛转报时全。阴阳不改衷肠性，万里遥来二百年"。这是康熙帝在赏赐葡萄牙传教士徐日升的一副绘有自鸣钟的牙金扇上的题诗。当雍正帝把一对自鸣表作为赏物赐给川陕总督年羹尧时，这位重臣即上谢恩折，表述了"喜极感极，而不能措一辞"的心情。到了乾隆年间，西洋钟表的应用已相当广泛，不仅宫廷大量收藏，且为达官贵人、富商巨贾、文人学士加倍珍爱并大力购求。钟表成了中国人认识西洋文化的重要途径。

这些备受皇帝青睐的钟表，来自两个方面。一部分是舶来品，或为传教士进献，或由清政府直接从国外购进，或是地方官员从洋商手中购买再进贡宫中，或根据帝后喜好专门订做。另一部分是中国制造。宫廷造办处设有做钟处，在传教士的指导参与下制造与修理钟表，最盛时多达上百人。庄严的紫禁城内整日有一批人从事当时科技含量极高的钟表生产，不能不说是个奇观。当时全国惟一对外通商口岸的广州以及手工业相当发达的长江中下游地区也趁势而起，钟表生产很快形成一定的规模。

于是，清宫留存的1 000余件中国制造与外国进口的钟表，就成了今日故宫博物院丰富藏品中一个十分特殊与珍贵的种类，在世界博物馆的同类收藏中也名列前茅。

拂去岁月的尘埃，这批钟表作为生动的见证物向我们诉说着明清之际中西文化交流的一段历史。当时来华的主要是天主教耶稣会传教士，他们代表欧洲反宗教改革的保守势力，来华的目的是传播天主教。钟表等西洋奇器只是他们手中的"敲门砖"，以期博取中国皇帝的好感，放宽对传教活动的限制。康熙帝尚能通过这些奇器看到西方科学的先进性，而他的子孙却与其祖大相径庭，只是把这些奇器当作玩物。他们关心的不是技术本身，而是用先进技术制造出来的各种奇器。他们始终陶醉在天朝的心态中，对中国以外的世界一无所知，亦缺乏兴趣。结果，西方传教士并没有实现预期的在华传教的愿望，中国也没有通过钟表这类奇器更多地学习、引进西方的科技知识。随着国力的衰敝，热闹一时的宫廷做钟处在嘉庆以后便告式微，道光以后已不再做钟。这时西方的科学技术却得到更为迅速的发展，中国与西方的差距进一步拉大。回顾这段历史，我们的心情虽然沉重而又复杂，但却不能回避。

清宫所藏外国钟表，包括了英国、法国、瑞士以及美国、日本等国所产，制作年代从18世纪至20世纪初，不仅反映了这200年间世界钟表发展的历史，也体现了当时钟表制造业的最高水平。外国钟表中以英国18世纪的产品为最多。18世纪英国的科学技术处于世界领先地位，英国钟表也以优美的造型、华丽的装饰、巧妙的机械传动装置成为当时世界上最先进的钟表，同时又涌现出一大批著名的钟表大师，如詹姆斯·考克斯、威廉森等，他们的作品在清宫中都有不少收藏。来自法国的钟表多为19世纪末至20世纪初的产品，它们在技术与造型艺术上集中了当时科学技术的最新成果，构思奇妙，设计新颖，反映了法国匠师的创新精神，同时也是法国钟表制作水平的标志。瑞士的铜镀金魔术钟、铜镀金四明钟、铜镀金珐琅围屏式钟等，都做工讲究，精湛无比。西方各国制造的各式形体小巧的袖珍表，造型丰富，材质珍贵，也纷纷进入中国，受到帝后及显贵的喜爱。这些藏品，都是各国当时最有代表性的产品。尤为可贵的是，多数至今仍能正常使用。这还得感谢故宫博物院几代认真钻研并勤奋敬业的钟表维修人员。

故宫博物院收藏的一座座钟表，远不止是计时工具，都是一件件精美绝伦的工艺美术品。英、法、瑞士等国制造的钟表，采用了齿轮联动的机械构造，在钟的外表装饰了人、禽、兽及面具等，能够定时表演，出现耍杂技、演魔术、写字、转花、鸟鸣、水流等景观，动作复杂，形态逼真，配上悦耳的音乐，令人惊叹不已。又由于文艺复兴运动的沾溉和影响，这些钟表不可避免地反映了文艺复兴之后欧洲在造型艺术、装饰艺术等方面的特点。中国皇家制造的钟表，为了突出皇家的富有和豪华，多用紫檀木、红木为外壳，以亭台楼阁的传统建筑形式为造型，上嵌珐琅或描以金漆等，烘托出古朴与威严。这些钟表以乾隆时期制造的居多，如用五年时间制作的黑漆彩绘楼阁群仙祝寿钟，设计复杂，做工精细，把中国传统文化的多个方面巧妙地体现在一座钟表上，具有极高的艺术价值，每每令参观者流连驻足。

故宫博物院从上世纪50年代开始展出这些珍藏的钟表，60年代设立专馆展览，40余年一直深受中外游客的欢迎。40年间，钟表馆也换了好几处地方，当然是越换越好。1985年在奉先殿设钟表馆。为了更好地为观众服务，从1999年起对奉先殿展馆进行改造。改造后的展馆从古建筑特点出发，极大地改善了展陈条件。为了让人们更好地了解故宫博物院所藏钟表的概况，欣赏展品的工艺水平和制作特点，我们特地编印了这本《故宫钟表》，其中包括有关研究资料。希望观众通过这个展览和这本图录，不仅对这些钟表珍品产生兴趣，也更加热爱故宫，热爱这个人类文化的瑰宝。

Preface

In 1601, Matteo Ricci (1552-1610), a Jesuit missionary of the Roman Church, after a long quest was finally allowed entry into Beijing. In the name of contributing tribute to the emperor, the Italian, who dressed in Chinese scholar's robes and who had lived almost twenty years in South China, used Western devices including two chime clocks to open the gates of the Forbidden City. Realizing his long-held dream of meeting the emperor, he was favorably received and soon obtained permission to reside in Beijing. The Wanli Emperor (r. 1573-1620) was keenly interested in the novel chiming clocks, displaying them on his imperial table. In the history of Sino-Western relations of the Ming and Qing dynasties, an especially significant page was turned in which missionaries mediated cultural exchange.

Although the Ming Dynasty (1368-1644) succumbed to the Qing Dynasty (1644-1911), missionaries still felt that paying tribute with mechanical devices was an important means of pleasing Chinese emperors, and the Qing dynasty emperors had the same enthusiasms for these Western devices as their Ming predecessors. The German Johann Adam Schall von Bell was the first to offer a very delicate celestial body chime clock as tribute to the Shunzhi Emperor (r. 1644-1661), and also wrote an essay explaining the clock. The Kangxi Emperor (r. 1662-1722) wrote a poem on a folding fan depicting a chime clock and bestowed it upon Tomás Pereira, a missionary from Portugal: "Circling all day and all night, it is better than an hourglass; Steady and reliable, it will work for two hundred years." When the Yongzheng Emperor (r. 1723-1735) bestowed a pair of chime watches on Nian Gengyao, the Governor of Sichuan and Shaanxi, Nian expressed his gratitude in a memorial to the throne: "Too happy and moved to say a word." During the Qianlong Emperor's reign (1736-1795), Western timepieces were very popular. They were not only collected in the Imperial Palace, but also bought and treasured by high officials, rich merchants, and scholars. Collecting timepieces became an important way for Chinese people to understand Western culture.

The timepieces favored by emperors came from two sources. Some were from foreign countries, either contributed by missionaries, or purchased by the government or local officials, or ordered according to preferences of the royal family. Others were made in China. A clock workshop in the Palace, with about one hundred artisans in its prime, was responsible for the manufacture and repair of timepieces under the guidance of missionaries. It is remarkable that this group in the Forbidden City was specializing in the production of timepieces with sophisticated technology. At the same time, building on existing handicraft industries, timepieces were soon being produced in Guangzhou, the only international port in China, and in the middle and lower reaches of the Yangtze River.

The more than one thousand timepieces in the Qing Palace made in China and imported from foreign countries have become a distinct and valuable category in the Palace Museum collections. It remains the finest among similar collections in the world.

These timepieces witnessed the history of cultural exchange between Chinese and Western cultures in the seventeenth century. During that period, most foreigners entering China were missionaries from an order of the Roman Catholic Church, the Society of Jesus, which was a force in the Counter-Reformation in Europe. Their purpose in China was to disseminate Catholicism. Western devices such as timepieces were tools to gain favor with Chinese rulers in the hope that restrictions on missionary activities would be lifted. The Kangxi Emperor discovered the nature of Western science from these devices, while succeeding emperors regarded them as mere playthings. What they cared about was not the technology, but the objects that were produced by advanced technology. They knew little about the outside world, while being intoxicated with the mind-set of being the Celestial Empire. As a result, the missionaries failed to spread Catholicism in China, and China also failed to learn advanced science and technology from the Western countries. From the time of the Jiaqing Emperor (r. 1796-1820), the Clock Workshop weakened along with the declining power of the nation; after the reign of the Daoguang Emperor (r. 1821-1850), no more clocks were made. Meanwhile Western countries were more rapidly developing in science and technology, further widening the gap between China and the West. This history, although we may feel regret, cannot be denied.

The foreign timepieces in the Qing Palace collection include those produced in Britain, France, Switzerland, the United States, and Japan from the eighteenth century to the early twentieth century. They not only reflect the evolution of timepieces during these two hundred years, but also embody the highest standards of the industry. Most of the timepieces were produced in Britain in the eighteenth century when British science and technology led the world. British timepieces were the most advanced due to their beautiful shapes, magnificent decorations, and delicate mechanical gears. There were many famous clock-making experts, such as James Cox (d. c. 1791) and Timothy Williamson (fl. 1769-1788), many of whose timepieces are in the Qing Palace collection. Most timepieces from France were produced from the late nineteenth century to the early twentieth century. The newest achievements of science and technology were collectively embodied in their workmanship and artistic forms. The marvelous conceptions and novel designs reflect the creativity of French craftsmen and the high level of clock manufacturing in France. Switzerland produced clocks of exquisite workmanship such as the gilded bronze clock with a magician, the gilded bronze clock with transparent four sides, and the clock with a cloisonné folding screen. The pocket watches produced in Western countries, varying in shapes and precious materials, were also imported into China and were favored by the imperial family and court officials. The timepieces are classic products of their various countries. Remarkably, most of the timepieces in the Palace Museum collection can still be used today. Here it is appropriate to thank the generations of conservators in the Palace who worked hard with professional dedication to maintain the clocks and watches.

The timepieces in the Palace Museum are not just tools for telling time, but incomparably exquisite works of art. Those produced in Britain, France, and Switzerland adopt the mechanical structure of gear train. The surfaces of the timepieces are decorated with figures, animals, and masks, as well as performances including acrobatics, jug-

gling, brush writing, and scenes of flowers blooming, birds twittering, and streams gurgling. One marvels at their complicated actions, lifelike shapes, and mellifluous music. Due to the influence of the Renaissance in graphic art and decoration, the timepieces inevitably reflect the characteristics of Europe after the Renaissance. To display wealth and luxury, the timepieces made by Chinese mostly used *zitan* wood and mahogany for outer case; traditional pavilions were used for the shape, and were inlaid with enamel or painted with golden lacquer to show their simplicity and stateliness. Most of these timepieces were made in the Qianlong period. For example, the complicated design and exquisite workmanship of the clock in black lacquer with painted pavilion and a gathering of immortals for a birthday celebration took five years to make and integrates many aspects of traditional Chinese culture. Its high aesthetic value often causes visitors to linger in appreciation.

Since the 1950s, the Palace Museum has been exhibiting these treasured timepieces. In the 1960s, it established a special hall for their exhibition, which has been very popular with museum visitors for the past forty years. With each change of venue, the installation has been improved. In 1985, the clock and watch exhibition gallery was moved to the Hall for Ancestral Worship (Fengxian dian). From 1999, renovation was carried out in this gallery. It allowed the historical building to be seen and greatly improved the exhibition conditions. To encourage people to know the timepieces better, and to appreciate their workmanship and manufacture, we are publishing this book *Timepieces in the Imperial Palace* with relevant research included. It is hoped that through the exhibition and book, visitors will not only become interested in these, but also feel increased affection for the Imperial Palace, this great repository of human culture.

时间的艺术　交流的记忆
——清宫钟表总说

郭福祥

中国有句古老的谚语:"一寸光阴一寸金,寸金难买寸光阴",说明了时间的价值和宝贵。时间是与生俱来的,但用来测定时间单位的仪器却并非如此,其产生和发展与人类的实践活动息息相关。古代的人们在长期的生活实践中不断地观察积累,逐渐掌握了太阳东升西落、月亮圆缺、季节变化等周期性的规律,于是萌发出运用这种稳定的周期现象作为时间"尺码"的念头,以此为契机便出现了各种各样的计时仪器。钟表是人类最伟大的发明之一,它将无形的时间流化作有形的时针的循环运动,成为人类奇思巧智和知识积累的最完美的结晶。

同样,在中西文化交流的历史长河中,钟表的际遇是幸运的。自从明朝末年进入中国宫廷,皇帝们便对其表现出极大的兴趣。他们竭力搜罗、制作、收藏,使得自鸣钟表几乎充斥于皇宫的各个角落。迄今为止,故宫博物院仍珍藏着千余件钟表精品,为我们认识钟表艺术开启了一扇难得的窗口。

一　西方钟表的传入与宫廷钟表收藏的兴起

我国制造机械时钟的历史相当悠久。北宋哲宗时期,苏颂制造的天文仪器和计时仪器的混合体水运仪象台已经具有较完备的计时机械,其中的擒纵调速机构在世界上都名列前茅。至14世纪60年代,我国的机械时钟已经脱离了天文仪器而独立,不但具有传动系统——齿轮系,而且还有擒纵器,如果继续努力,很可能出现完全现代意义上的钟表。但可惜的是,中国没有能做到这一点,最终机械钟表还是从西方引进的。

1.钟表引路,天堑变通途

最早把西洋钟表介绍到中国来的是欧洲的传教士。十五六世纪,随着地理大发现和东西方航路的开辟,激起了欧洲基督教向东方传教的热情。大约从1540年开始,教廷和各个教派的传教士们就不断地进行着向中国内地传教的种种尝试,千方百计寻找机会进入中国。但那时的中国还是一个相当封闭的社会,由于沿海海盗的不断骚扰,致使中国人自觉不自觉地对外国人产生了一种敌视心理。早期到东方传教的欧洲传教士均遭到中国方面的拒绝。

如何打开中国的大门,确实令传教士们大伤脑筋。作为开拓中国传教事业的先驱者,意大利人罗明坚同样被这个问题所困惑。为了获得进入中国内地的机会,他除了努力学习汉语,以期能和中国人进行语言交流外,最重要的是如何用钟表等这些在中国人看来奇妙无比的物品攫取中国高官的欢心。1580年,他在写给耶稣会总部的信中就这样说道:"希望教皇赐赠的物品中最为紧要的是装饰精美的大时钟。那种可以报时,音响洪亮,摆放在宫廷中的需一架。此外还需要另一种,我从罗马起程那年,奥尔希尼枢密卿呈献教皇的那种可套在环里,放在掌中的,也可报时打刻的小钟,或类似的亦可。"他还热情地举荐他的同窗好友利玛窦到澳门,为进入中国内地做准备。也就是在这一年,罗明坚终于有了一个可利用的机会,跟随葡萄牙商人到广州进行贸易。在为期三个月的交易当中,罗明坚依靠掌握的有限的汉语,与中国官员和文人广泛接触,通过赠送西

⑴〔日〕平川弘著，刘岸伟、徐一平译：《利玛窦传》第43、59页，光明日报出版社，1999年。

⑵〔日〕平川弘著，刘岸伟、徐一平译：《利玛窦传》第43、59页，光明日报出版社，1999年。

洋物品，赢得了他们的好感。据他讲：其中"有一位武官和我特别亲近，并且极愿意领我到朝廷去，我们认识的动机是由于一架我送给他的钟表的介绍。"[1]同时，他还送礼物给当时的海道副使，从而在他逗留广州的三个月中能够居住在特意为属国朝贡准备的馆邸中，有机会进行传教活动。但只是短短的三个月，罗明坚又不得不随商人们回到澳门。

传教士送给广州官员的礼品在当时的中国人里掀起了不小的波澜，其新奇引起了他们的注意，成为传教士打通关节的重要手段。

1582年，两广总督陈瑞以了解到澳门的主教和行政长官是外国商人们的管理者为借口，让他们到当时总督府的所在地肇庆去接受训示。澳门当局为了使陈瑞不干涉贸易活动，并获允传教士在大陆上建立一个永久居留地，派出了会讲汉语的罗明坚代表主教，检察官帕涅拉（Mattia Penella）代表市长，携带价值千金的玻璃、三棱镜及其他在中国稀罕的物品来到肇庆。陈瑞见到这些西洋珍品，态度马上变得缓和起来，答应可以将澳门的现状维持下去。对于礼品，他讲不能白白接受，一切须按值付价。他通过翻译一一询问了礼品的价钱，并当着下人的面将银子付给罗明坚他们。但他又偷偷派人传信，让他们用那笔银子购买西洋珍品给他送来。

8月，帕涅拉带着陈瑞所要的东西又一次来到肇庆，罗明坚由于发高烧，不能同行，就托帕涅拉给他带了几件礼品。恰巧此时，根据罗明坚的请求，利玛窦奉命携带着从印度管区长那里得到的自鸣钟来到澳门。于是，罗明坚又让帕涅拉转告陈瑞，说神父原打算要亲自送给他一件漂亮的用铜制成的机械小玩意儿，不用碰它就能报时。陈瑞一听说到钟表，就变得很感兴趣。一再叮嘱帕涅拉，让罗明坚无论如何病一好立刻就来见他，来时务必将时钟带上。罗明坚很长一段时间内未能康复，陈瑞又给他写了一封信，要他勿忘携带时钟到肇庆，并送来了路照，以保证罗明坚的旅行安全。钟表又一次为传教士们赢得了绝好的机会。

"巡察使（范礼安）和读过来函的人都认为这是千载难逢的时机。应带上时钟赶赴肇庆，恳请总督为我们提供内地住房，以便我可以继续学习汉语"[2]。12月18日，罗明坚和另外一位传

雍正洋装画像

教士巴范济携带钟表和玻璃三棱镜从澳门启程，27日深夜抵达肇庆。去掉包装，拧紧发条后，时钟开始摆动，自动鸣时。听着时钟的声音，看着三棱镜发出的魔幻般的光彩，陈瑞非常喜欢，将他们安排在天宁寺中。后来尽管几起几落，反反复复，但经过罗明坚和利玛窦的倾力周旋，肇庆知府王泮终于许可为传教士提供一块土地。1583年，他们在肇庆城外崇禧塔附近建造了一处教堂，成为传教士在内地的第一个立足之地。这是一座西方式的建筑。为了引起人们的注意，利玛窦特意在室内陈列了欧式用品，正面墙上还挂上钟表。这只钟表就像一个活物自走自鸣，自然而然受到了人们的珍视。当地人士纷纷前来观赏，轰动一时，传教士们一夜之间声名鹊起。罗明坚在书信中曾欣喜地写到："自方济各·沙勿略神父起，耶稣会的神父们在过去的40年里，为踏入中国费尽千辛万苦。进入这广大帝国犹如登天之难，而今却这般易如反掌了。我们好似身浮梦境、幻境之中。"这期间，钟表扮演了重要角色。

以后，在利玛窦传教过程中，钟表随着他的行程，慢慢传播开来。如1589年夏天，利玛窦从肇庆移居韶州，西洋奇物同样

引起了轰动。"因为我们是外国人，而且是经过三年旅行长途跋涉远道而来的外国人，这在中国是闻所未闻的事情。况且我们这里还有许多离奇古怪的东西，这也是吸引他们的一个重要原因。像一些精巧的玻璃制品啦，耶稣会长送给我们的那些大大小小制作精美的钟表啦，还有许多优秀的绘画作品和雕刻作品等，对于这里的每一样东西，中国人都为之惊叹"[3]。即使10年以后，利玛窦来到南京，和其他地方一样，人们对他带来的钟表、三棱镜等仍旧感到非常好奇。依靠这些精致的钟表及其他奇器，加之他的学识，利玛窦渐渐成为中国文人中的名人，受到他们的礼敬。

正是通过钟表等西洋奇物的赠送、演示，西洋传教士在中国人心目中赢得了一席之地。当然，如果只是凭借带点三棱镜、自鸣钟什么的东西便要得到中国人的尊敬，是远远不够的。但有这样一个有利条件，传教士便非常容易地与中国文人和官僚进行更深一层的精神交流，打动他们的心灵，为传教之路开启一扇方便之门。

2."嘀嗒"声动紫禁城

对传教士来说，只获得地方官员和一般民众的认同对整个传教事业是远远不够的。在极度集权的中国，要想使基督信仰在全国范围内立足，必须与最高统治者皇帝进行接触，并力促其接受这种信仰，至少可以通过他的权威为传教事业开启一路绿灯。这一点在早期到中国的传教士中间是具有共识的。因此，一旦他们踏上中国的土地，就会进一步把目标锁定在皇帝身上，为此他们进行了不懈的努力。有意思的是，在传教士们

3.《利玛窦书信集》，1592年11月12日信函。

[4] 利玛窦、金尼阁著，何高济等译:《利玛窦中国札记》第400、405页，中华书局，1983年。

敲开皇宫大门这一关键步骤中，仍然是钟表发挥了巨大作用，扮演了重要角色。

早在1598年，利玛窦就曾到过北京，尝试在北京传教，未果后于当年冬天撤回苏州。1599年，利氏住在南京，与当地的名士豪门进行了广泛的交往。在此期间，又派郭居静神父去澳门，准备献给明朝皇帝的礼物，其中钟表是必不可少的。到了1600年5月，利氏带着庞迪我神父以"进贡"的名义再次北上奔赴北京，7月3日抵达临清，在这里遇见了宦官马堂。听说利玛窦要给皇帝献礼，马堂立刻插手，说愿意引其去见皇帝。之后，马堂曾两次上书万历帝汇报情况，介绍贡品名目，但没有引起万历帝的注意。过了一段时间，万历帝才突然想起奏疏上所讲的自鸣钟，便问左右:"那座钟在哪里？我说那座自鸣钟在哪里？就是他们在上疏里所说的外国人带给我的那个钟。"[4]很快，利玛窦的40多件贡品被送到皇宫中，摆在万历帝面前。

在利玛窦所进的贡品中，最令万历帝感兴趣的就是自鸣钟，计有大小两座。当万历帝第一次看见那座较大的钟时，钟还没有调好，到时不响。于是他命令立刻宣召利玛窦等进宫调试。当利玛窦被领到内院第二道宫墙时，一大群人正在围看摆在那里的自鸣钟。皇帝派了一位学识渊博的太监接待他们。利玛窦告诉管事的太监，这些钟是一些非常聪明的工匠创制的，不需要任何人的帮助就能日夜指明时间，并有铃铛自动报时，有一个指针指示时间。还说要操作这些钟并不难，两三天就可以学会。听了太监的汇报，万历帝钦定钦天监的4名太监去跟利玛窦学习钟表技术，并让他们三天内将大钟修好。在以后的三天里，利玛窦不分昼夜地给太监们讲解自鸣钟的原理和使用方法，想方设法造出当时汉语里还没有的词语，使太监们很容易地理解。太监们学习也很刻苦，为了防止出差错，他们一字不落地把利玛窦的解说用汉语记录下来，很快便记住了自鸣钟的内部构造，自如地进行调试。三天还没有到，万历帝就迫不及待地命令把钟搬进去。看着指针的走动，听着"嘀嗒"的声音，万历帝非常高兴，对太监和利玛窦给予了奖赏。

在宫中没有一座内殿的天花板高得足以容纳大时钟的钟摆运转，万历帝便命利玛窦提供图纸，命工部于第二年特意为此钟制作了一座钟楼。这座钟楼有楼梯、窗户、走廊，装饰富丽堂皇，上面刻满了人物和亭台，用鸡冠石和黄金装饰得金光闪闪。为做此钟楼，工部花费了1 300两银子，最后被安装在御花

园中，万历帝经常光顾。

至于那座镀金的小自鸣钟，万历帝更是随时把玩，从不离身。"皇帝一直把这个小钟放在自己面前，他喜欢看它并听它鸣时"[5]。为了使其正常运转，万历特意从向利玛窦学习钟表技术的4名太监中抽出两名，专门负责给这座小自鸣钟上发条，这两个人成了皇宫里很重要的人物。

这两架自鸣钟是皇宫中拥有的最早的现代机械钟表。以后利玛窦又向明朝皇帝进献过自鸣钟。从那个时候起，把玩品味造型各异的自鸣钟表成为中国帝王的一种新时尚。钟表被称为西方传教士打开中国宫廷的敲门砖，是一点也不过分的。这两架自鸣钟就是以后皇宫收藏、制作自鸣钟的源头。

3.皇帝御题自鸣钟

在明代，自鸣钟毕竟是凤毛麟角，极为少见。而到了清代，情况就大不一样了，钟表在皇宫中随处可见。皇帝对它们的看法也各有不同。这从清帝的咏钟表诗中看得很清楚。

有清一代，几乎每位皇帝都有吟诵自鸣钟表的诗篇，这些诗大部分刊载于《御制诗文集》中，其中以康熙、雍正、乾隆最有代表性，通过这些诗篇，我们可以看到他们对这种先进的科学器械的态度。

康熙三十三年(1694年)，康熙帝赐给葡萄牙传教士徐日升一柄牙金扇，上绘有自鸣钟，还有御题诗："昼夜循环胜刻漏，绸缪宛转报时全。阴阳不改衷肠性，万里遥来二百年。"[6]康熙还有一首《咏自鸣钟》诗："法自西洋始，巧心授受知。轮行随刻转，表指按分移。绛帻休催晓，金钟预报时。清晨勤政务，数问

奏章迟。"[7]

雍正皇帝也留下了两首咏钟表的诗，其一为："巧制符天律，阴阳一弹包。弦轮旋密运，针表恰相交。晷刻毫无爽，晨昏定不淆。应时清响报，疑是有人敲。"另一首为："八万里殊域，恩威悉咸通。珍奇争贡献，钟表极精工。应律符天健，闻声得日中。莲花空制漏，奚必老僧功。"[8]在这些诗篇中，康熙和雍正毫无掩饰地表达了对这种来自西洋的计时仪器的赞扬之情。我们知道，康熙帝本人热心于西洋科学，对西洋的钟表机械技术亦同样具有强烈的兴趣。因此康熙对钟表的认识是建立在科学性基础上的。而雍正更注重钟表的实用性能，通过对钟表进贡所蕴含的政治意义的大肆渲染，用以粉饰"一统天外，万邦来朝"的太平盛世景象。

延至乾隆时，由于妄自尊大的心理和观念的滋生，阻碍了先进科学技术在宫中的传播，康熙时形成的学习西方科学的热潮逐步衰退。表现在对钟表的态度上，皇帝的兴趣渐向奇巧方向倾斜。这在乾隆的《咏自鸣钟》诗中得到了很好的反映："奇珍来海舶，精制胜宫莲。水火明非籍，秒分暗自迁。天工诚巧夺，时次以音传。钟指弗差舛，转推互转旋。晨昏象能示，盈缩度宁愆。抱箭金徒愧，挈壶铜史指。钟鸣别体备，乐律异方宣。欲得寂无事，须教莫上弦。"[9]在这首诗中，乾隆除了对西洋钟表计时的准确性作例行描述之外，更多地表现出了对其所附各种变动玩意的关注。他在诗注中指出"有按时奏西洋乐者为更奇"，对西洋钟表奇巧的艳羡心态溢于言表。从中不难看出，乾隆对钟表的看法已经远非其祖父那么朴实得当。在他的眼中，变化

[5] 利玛窦、金尼阁著，何高济等译：《利玛窦中国札记》第400、405页，中华书局，1983年。

[6] 方豪：《中西交通史》第758页，岳麓书社，1987年。

[7] 《清圣祖御制文四集》卷三二。

[8] 《清世宗御制诗文集》卷三二。

[9] 《清高宗御制诗三集》卷八九。

·10《清仁宗御制诗初集》卷

·11·《清文宗御制诗文全集》卷
三。

·12· 清·余金：《熙朝新语》，上海
古籍书店，1983年。

多样，争奇斗艳的西洋钟表已经是奢华的象征，极具观赏价值的艺术品了。这无疑对当时清宫中的钟表制作和收藏具有导向作用，随着这种看法的形成，搜罗样式新、玩意奇的钟表成为乾隆不自觉的行为，从而导致了乾隆时期大量西洋钟表的进口和清宫造办处钟表的规模生产。

乾隆以后的皇帝们对自鸣钟又有了新的理解，嘉庆皇帝在他的《咏时辰表》诗中写到："昼夜功无间，循环二六时。枢机迭轮转，分刻细迁移。弦轴回旋妙，针锋迟速宜。惜阴堪警惰，精进不知疲。"·10·在嘉庆帝眼中，钟表是一种警示，提醒他要珍惜时间，积极进取，切不可有丝毫的怠惰思想。同样的意思在咸丰帝的咏自鸣钟诗里也有所表现："皇清德泽被无垠，准溯天文列贡珍。测量依时超玉露，丁东报晓迈鸡晨。闲时好彻花间韵，静里宜参象外因。息养瞬存分刻数，心殷体健励恭寅。""柔远思周月毚垠，身边雅称佩殊珍。每当裁句验迟速，更切敕几励夕晨。玉漏权舆制趋巧，璇仪测度悟推因。披衣虞晏勤民政，那计看针丑与寅。"·11·在中国皇帝眼里，自鸣钟终于和宝贵的时间联在一起。作为度量时间的工具，透过其华丽的外表，皇帝们看到的是其内部所蕴含的深刻意义。"嘀嗒"作响的声音昭示着时光在飞逝，心里自然产生一种人生苦短的紧迫感和时不我待的危机感。恐怕这些诗篇对我们现代人来讲也不无启发吧？

二　清宫钟表的来源

对于皇帝们而言，钟表既是计时器，又是陈设品；既是高档

实用器物，又是精美的艺术杰作，故千方百计搜求网罗。受其影响，各种各样的钟表通过众多途径汇聚于皇宫。

1.宫廷钟表制作与皇帝的参与

清宫所藏的钟表，有相当一部分是由宫中制造的。具体负责这项工作的是设在养心殿造办处的做钟处。做钟处脱胎于康熙时期的自鸣钟处。那时的自鸣钟处主要负责宫中所藏钟表的保管和维修，偶尔也制作钟表·12·。乾隆时期做钟处发展到鼎盛。

清宫做钟处以制作用料贵重、富丽堂皇的"御制钟"闻名于世，其制品主要供皇帝后妃使用。需要说明的是，做钟处的主要技术人员及项目负责人大多是来自西洋的传教士。他们到中国以前，有些已经是很有名气的钟表机械师了。如：钟表机械学专家法国人沙如玉，雍正七年（1729年）到京之后即被派在造办处做自鸣钟。据档案记载，沙如玉进入造办处后，为清宫制作了许多钟表。直到乾隆五年（1740年）做西游鳌山灯，乾隆七年做方壶胜境大宝座的轮簧木胎时，还都是由他负责的。杨自新，乾隆三年来华。席澄源，乾隆十三年来华。由于

杨、席二人在制造机械玩具和制作钟表方面大显其能，能够不断满足乾隆帝的西洋物欲，所以受到特别的推崇和尊重。"又因他（指席澄源，中文亦称西老爷）在朝里，在花园里做钟玩意，天天见万岁，万岁很喜欢他，很夸他巧，常望他说话。如意馆内有三位西洋人画画，两位做钟（指杨、席），共五位。万岁常向他们两个说话。……西老爷在如意馆内钟房，常见万岁，万岁常和他说话，很夸说他的法子很巧"[13]。可见这些做钟的西洋传教士同乾隆接触的密切程度。汪达洪，乾隆三十一年（1766年）来华，因熟谙天文，兼习钟表等技艺，被安排在如意馆行走。他在寄给国内的信中曾讲："来华后一年，余以钟表师资格被召入宫。"[14]此外，在清宫做钟表的还有法国人李衡良、巴茂正、高临渊等人。这些人都受到过良好的西方教育，因此在他们指导下的做钟处所做的钟表，无疑会打上西方文化的烙印。故宫现存"御制钟"上许多雕刻部分的花纹都带有浓厚的西洋风格，便可以说明这一点。

对于做钟处工作，皇帝们经常参与和干涉，尤其是钟表制作。皇帝们对钟表制作的关注是多方面的，甚至于某些具体的细节都不放过。从钟表样式的设计到制作所用的材料，都要经过他们的修改和批准。大量的清宫档案为我们研究清帝对清宫钟表制作的影响提供了直接的证据。

遵照皇帝旨意制造各种计时器以满足宫中之需要，是做钟处匠役最重要的任务。一般先由皇帝提出基本意向和具体要求，或由内务府大臣依据成例奏请，工匠据此进行设计，批准后照样制作。比如：雍正三年（1725年）十一月二十九日，雍正皇

帝传旨给员外郎海望做灯表一件，并让其先画样呈览后再做。十二月十四日海望将工匠画成的灯表样一张呈给雍正，雍正看后批示"照样做"。此表于四年七月初九日做成呈览。雍正见做得不错，便传谕再做两件。诸如此类的事情不胜枚举，在这里，皇帝的参与是极为重要的，正因为此，清宫所制钟表才出现了像更钟这样的新品种。

宫中收藏的大量钟表，在使用过程中出现损伤在所难免，因此，对于做钟处工匠来讲，改造、维修和保养的任务非常繁巨。这其中既包括外形的复原、改变，也包括机芯的调整、更换。特别是乾隆皇帝，对钟表等奇器抱有浓厚兴趣，就连如何改造、如何维修、如何保养他都要参与意见。终其一朝，这种工作就没有停止过。就大的方面而言，大致有如下几种：

一是更换或添配新的机芯。机芯一般由动力源、传动系统和擒纵系统组成，依据其功能，可以有一套或多套动力传动系统，从而造成机芯结构的繁简之分。使用日久的自然损耗，或改变钟表本身的功能，都必须添配或更换新的机芯。如乾隆二年（1737年）八月，交给做钟处一座洋漆亭子，传旨配钟瓤做成带音乐的时钟；十七年正月，传旨将库贮花梨木问钟外壳两件、乌木钟外壳一件，配做时刻钟瓤；三十九年二月将紫檀木嵌珐琅玉花片架时钟改为更钟，配做更钟瓤，同时，相应式样也做了改动。另外，机芯结构也和钟表上附带的活动玩意息息相关，结构简单的钟表，活动玩意一般都不多，反之，则活动玩意多样且精细到位。钟表外观上显现出来的每个活动装置都由钟瓤内相应的齿轮控制，改变外观活动玩意，必须改变钟瓤内的

‹13› 方豪：《中西交通史》第760、761页，岳麓书社，1987年。

‹14› 方豪：《中西交通史》第760、761页，岳麓书社，1987年。

‹15› 参见关雪玲《乾隆时期的钟表改造》，载《故宫博物院院刊》2000年第2期。

‹16› 中国第一历史档案馆藏：《造办处各作成做活计清档》。

齿轮结构。而这种改动是经常的。如乾隆六年九月，传旨将交进的库贮紫檀木架时钟改成八仙庆寿钟，要求八仙要转动，且要有松树衬托，仙人、花树样式仿照此前做成的鳌山灯上的一样；十七年六月，命改装乌木架葫芦形时乐钟，将此钟顶上想法安镀金莲花朵，逢打钟时要开花，再做些小式花草配上，其中莲花着做红铜打色，小式花草做镶牙茜色。等等，都属于这种情况。

二是钟表外观式样和具体装饰的改变。外观的改变如雍正十一年（1733年）命将库贮紫檀木架钟二座，改做插屏钟安设；前述乾隆三十九年将紫檀木嵌珐琅玉花片架时钟改为更钟后，样子也变成了画珐琅表盘，重檐楼亭式样等等。具体装饰的改变包括改换颜色和更换饰物等情况。属于前者的如"太监胡世杰交画五彩油画架时刻乐钟二座，传旨将钟架二座改做黑漆地画五彩描金花，架顶另照好样改做"。属于后者的则如"太监胡世杰交出镶嵌红白绿宝石鸟兽顶包镶金花架白珐琅表盘时钟两件，奉旨将宝石拆下交进。其拆下宝石之处，中间补做红玻璃塔，四角补做绿玻璃塔"。通过这些改变，可以用比较少的投入，增加新的钟表品种，使皇帝们对钟表保持长久不衰的兴趣‹15›。

皇帝对钟表制作的干预还表现在通过奖惩制度奖勤罚懒，保证钟表制作的质量。对活计做得好，符合皇帝口味的工匠和太监，往往赏银赏物。如雍正十一年十月二十八日太监传旨："今日进的御制珐琅表盒烧造甚好，其表盒墙子上画的花卉亦好，将烧珐琅人并做表人等应赏者议赏。"同年还有赏做钟

处太监银10两的记载。这种赏赐折合银钱往往远远超过其月工钱，成为他们的一项重要收入。相反，如果活计做得不好，轻则一顿叱呵，工钱不给，重则包赔损失，"不预开销"，有的甚至被退回原籍。雍正六年，广东钟匠张琼魁就因做钟手艺平常而被革退‹16›。

皇帝的参与以及严格的奖惩措施，使宫中制造的钟表成为同期作品中的佼佼者。

考察清宫造办处所做钟表，可以这样说，正因为有了那些西洋传教士在清宫中的辛勤劳动，才使得做钟处的御制钟在工艺和技术上能够和当时西洋的钟表相媲美；同样，正因为有了皇帝本人对做钟处工作的参与和要求，才使得御制钟具有了自己的风格和独到之处。总之，造办处的御制钟表，是以传教士为代表的西方文化和以皇帝为代表的东方文化在清宫接触后所结出的一朵绚烂的花朵，也使清宫钟表收藏增加了许多精品。

2.邦交使团礼品

随着清代对外交往的扩大,不断有外国使团到中国。在选择送给皇帝的礼品时,往往颇费心思,这方面最为典型的当为乾隆时的马戛尔尼使团。在介绍礼品的文件中他这样写道:"如果赠送一些只能满足一时好奇心的时髦小玩意儿,那是有失礼貌的。因此,英王陛下决定挑选一些能显示欧洲先进的科学技术,并能给皇帝陛下的崇高思想以新启迪的物品。"而钟表既能代表当时的技术水平,又能引起皇帝的兴趣和注意力,故往往成为礼品的首选之物。这方面尤以俄国最具典型性。

1676年,为配合俄军对我国黑龙江流域的武装侵略,窥探中国的虚实,俄国派斯帕法里率使团出使中国。清政府隆重接待了使团,康熙帝两次接见,希望通过谈判解决中俄边界的争

端。其间斯帕法里将貂皮、黑狐皮、呢绒、珊瑚串珠、镜子、钟表及琥珀等价值800卢布的物品赠给康熙皇帝。

雅克萨战争之后,俄国政府为了缓和远东的紧张局势,决定接受清政府的建议,举行边界谈判。为此,俄政府派维纽科夫和法沃罗夫为专使,于1686年11月先期到达北京,传达俄方的意思。同样,送给皇帝的礼品是少不了的。"11月5日那天,中国人要求专使向博格德汗(康熙皇帝)呈献礼品。于是他们就把礼品送到了汗的宫廷。博格德汗观看礼品时,考虑到他们二位专使从如此遥远的地方匆忙赶来,便谕令他们把这些礼品拿回去,随意定价出售,汗本人只选取了两枚海象牙。这些礼品是:银座钟一对、法国银表一只、德国小表一对、土耳其制小表一只、海象牙九只、精制玻璃眼镜六副、珊瑚串珠一百三十颗、带

光绪大婚图

+17+ 参见(俄)尼古拉·班蒂什-卡缅斯基编著《俄中两国外交文献汇编》，商务印书馆，1982年。

+18+ (英)斯当东著，叶笃义译：《英使谒见乾隆纪实》第248页，商务印书馆，1963年。

+19+ (法)佩雷菲特：《停滞的帝国—两个世界的撞击》第84页，三联书店，1993年。

框的德国镜子一面、德式饰金帽子两顶、单筒望远镜两个、法国精制玻璃望远镜两副、土耳其地毯一块。其实，所有这些东西当时都替博格德汗买下了，旁人谁都不敢去买这些物品。"

1720年，俄国又派伊兹马伊洛夫出使中国，交涉恢复中俄之间贸易的事宜。俄使在北京停留三个多月，康熙接见了十多次。伊兹马伊洛夫将沙皇的礼品献给康熙，康熙欣然接受。"这些礼品是：镶着雕花镀金镜框的大镜一面、台镜一面、镶着水晶镜框的长方形镜子多面、英国自鸣挂钟一座、镶宝石怀表一对、罗盘一只、数学制图仪器四套、大君主用的绘有波尔塔瓦战役图的望远镜四架、显微镜一架、晴雨表二只。共值五千零一卢布又八十三戈比。"同时，伊兹马伊洛夫还以私人的名义向康熙进献了礼品，其中也包括金质怀表一只。

1725年初，俄国彼得大帝逝世，女皇叶卡捷琳娜一世继位。为了将这一消息通知中国朝廷，同时也为祝贺雍正帝继位，表明希望保持两国君主间友谊的愿望，划定边界并消除边界争端，建立双边自由贸易关系，俄方决定派遣使团出使中国，并任命伊利里亚伯爵萨瓦·卢基奇·弗拉季斯拉维奇为特命全权使臣。依据女皇"向博格德汗呈献礼品的仪式要得体，同时事前应了解这些礼品是否会被愉快地接受"的训令，使团为雍正皇帝准备了丰厚的礼物：以女皇的名义赠送价值一万卢布的礼品，计有贵重的怀表、座钟和挂钟、镜子、手杖、金线花缎和价值昂贵的貂皮、黑狐皮；以使臣本人的名义赠送火枪一只、手枪一对、刻有各种图案的银盘一只、怀表一块、银盒装的绘图仪器一盒、银质烟盒两个、精致玻璃枝形大吊灯两架、大幅绘

图纸三令、镀金银质首饰盒一个、银质马饰物一套、俄国狼狗四只，总价值1 390卢布。钟表占了相当大的比重。

1729年，中国也向俄国派出了一个使团，并于1731年1月到达莫斯科。在回国之前，其中的四人受雍正帝之命顺道出使卡尔梅克汗国，受到卡尔梅克汗的热情接待。使团返回时，卡尔梅克汗写信给雍正帝，表示"感谢博格德汗遣使下达谕旨和赠送礼物；感谢对多尔济纳扎尔之弟的恩养；请求今后不要忘记他和接受他所呈献的银钟、几支土耳其制火绳枪和弓等礼品"。无疑，这座银质钟表成了宫中的收藏[17]。

与此同时，欧洲其他国家派往中国的各种使团也多以钟表作为礼品赠给清帝，其中最典型的当属乾隆时期来华的马戛尔尼使团。据当时参加使团的英方人员回忆，英国方面在选择礼品上相当谨慎。"英王陛下经过慎重考虑之后，只精选一些能够代表欧洲现代科学技术进展情况及确有实用价值的物品作为向中国皇帝呈献的礼物。"[18]在这些礼品中，"最能说明自己国家现代化程度的礼物是一台天文地理音乐钟"[19]。这是一架复合天文计时器。它不仅能随时报告月份、日期和钟点，而且还可应用于了解宇宙，告诉人们地球只是茫茫宇宙中的一个微小部分。这件钟表现在已不复存在，极有可能是毁于1860年的圆明园之劫。礼品中还有一个八音钟，除计时报刻外，还能奏出12支古老的英国曲子，是由伦敦机械师乔治·克拉克制造的，当时价格十分昂贵。

这些礼品，包括钟表都直接进入清宫，成为宫中钟表收藏的重要组成部分。

3.臣工进献

每到重大节日或帝后的寿辰，各地官员都要进表纳贡以示祝贺，所贡物品以地方的土特产品居多，当然也少不了所谓的祥瑞之物、奇巧之器。清代宫中的钟表有许多就是通过这种途径获得的，进贡者包括地方官员、在华为皇帝服务的外国人及少数民族首领。

如前所述，钟表最早是由西方传教士作为礼品献入中国宫廷的，并从一开始就受到了帝王们的喜爱。到了清代，皇帝们对自鸣钟的兴趣有增无减。基于此，凡来华进京的西洋传教士，大都携有西洋钟表，一遇到机会，便将其作为见面礼进呈给清帝。比如：顺治九年（1652年）七月，德国传教士汤若望曾向顺治帝呈献一架天球自鸣钟，除报时刻外，还能惟妙惟肖地演示日月运行的状况，使顺治帝大开眼界。顺治十二年二月二十七日，西洋传教士利类思、安文思向顺治帝进献了一批西洋器物，其中即包括"西洋大自鸣钟一架"。又如康熙时，安文思又"献一钟，每小时报时后，即奏乐一曲，各时不同，最后则如万炮齐鸣，声亦渐降，若向远处退却，终于不闻"[20]。通过向清帝进献钟表，使传教士们获得机会以接近皇帝，并逐渐取得了清帝的信任，为在华传教赢得一席之地。

把钟表当作贡品送给清朝皇帝的不单单是外国人，中国的地方官员也是如此。清代向皇帝进贡钟表者主要是广东、福建的官员。两省均为清代重要的对外贸易窗口，经过贸易获得的西洋物品如钟表、仪器、玩具等不时送往北京，进献皇帝。同时，南方各地尤其是广东对西洋物品的仿制越来越多，其中的

精品也被地方官员用做贡品。钟表的情形便是如此。清代档案对此记载颇多。如：雍正五年"十月十四日，太监王太平交来乐钟一件、大日晷一件，系福建巡抚常赉进。奉旨：着收拾，俟明年随往圆明园陈设，钦此"。六年"二月初七日，郎中海望持出圣寿表一件，随柏木匣盛，系总督常赉进。奉旨：此表鞘口紧，着收拾。再鞘内小家伙亦收拾，钦此"。又同日"郎中海望持出圣寿无疆表一件，随柏木匣盛，系总督常赉进。奉旨：着对准收拾，钦此。于七年十月二十八日将圣寿无疆表一件配在安表镜紫檀木香几上，郎中海望进讫"。常赉，纳喇氏，满洲镶白旗人，原为世宗雍邸微员。雍正元年授工部员外郎，后连年升迁，四年擢福建巡抚，不久又移署广东巡抚。可知此时常赉正在福建、广东任职，故有进献钟表之举。又如：雍正十一年"十月二十七日，据圆明园来帖内称：太监高玉交镶嵌密蜡玻璃时钟乐钟一座，系毛克明、郑伍赛进。传旨：着收拾，俟收拾妥时有应陈设处陈设，钦此"。雍正十三年"闰四月十八日，首领太监赵进忠持来紫檀木架时钟乐钟一座，系毛克明进。说太监王常贵传旨：着交造办处收拾，有应陈设处陈设，钦此"。这里的毛克明、郑伍赛二人皆为广东地方的高级官员，所贡钟表中西兼有[21]。

乾隆时期，进贡钟表在广东官员中非常普遍和流行。如：乾隆三十六年七月十七日两广总督李侍尧进贡物品中就有洋镶钻石推钟一对、洋珐琅表一对、镶钻石花自行开合盆景乐钟一对；同年六月二十八日广东巡抚德保进单中有乐钟一对、推钟一对、洋表一对；乾隆五十九年三月二十五日，粤海关监督苏楞额进有洋珐琅八音表二对、洋珐琅嵌表八音盒一对[22]；乾隆

[20] 费赖之：《在华耶稣会士列传及书目》第257页，中华书局，1995年。

[21] 中国第一历史档案馆藏：《造办处各作成做活计清档》。

[22] 中国第一历史档案馆藏《乾隆朝贡档》。

‹23› 中国第一历史档案馆藏：《内务府造办处记事录》。

‹24› 中国第一历史档案馆藏：《造办处各作成做活计清档》。

‹25› Morse：The Chronicles, Vol.1, p193.

‹26› Morse：The International Relations of the Chinese Empire, 1834～1911, Shanghai, 1910.

四十三年(1778年)正月初二日，原粤海关监督德魁之子海存，将家中现存预备呈进的自鸣钟等项共105件，恭进给乾隆，被全部留用，其中洋表计有"洋厢水法自行人物自鸣报时乐钟一对，洋厢料石行蛇自鸣乐钟一对，洋花梨木厢铜花活动人物三针自鸣时刻掉(吊)钟一对，洋花梨木厢铜花自鸣时刻乐钟一对，洋铜染小自鸣钟一件，洋铜架掉表一件，各式样表十六对"‹23›。像这样进贡的钟表，乾隆时期几乎每年都有许多批，数量十分惊人。乾隆四十九年(1784年)两广总督、粤海关监督等累计进贡钟表达130件，而据乾隆朝贡档的不完全统计，乾隆时期各地进贡的钟表约有3 000余件。

皇帝们对进贡的钟表要求非常严格，尤其是乾隆皇帝，对于所进适合其口味，款样形式俱佳的钟表，总是来者不拒，有进必收。劣者则会受到严厉申斥："李质颖办进年贡内洋水法自行人物四面乐钟一对，样款形式俱不好。兼之齿轮又兼四等，着传与粤海关监督，嗣后办进洋钟或大或小俱要好样款，似此等粗糙洋钟不必呈进。"此种情况之下，各地官员肯定会把最好的钟表进献给皇帝，以博取其欢心。

另有一些边疆少数民族首领也偶尔进献钟表。如：雍正十年"四月初四日，据圆明园来帖内称：自鸣钟处太监张玉持来银盘银套小表一件，系汗策凌敦多布进；金花盒玳瑁套小表一件，内金钉不全，系达尔嘛巴拉进；蓝珐琅盒小表一件，珐琅有坏处，系尚古尔喇嘛进。说太监王常贵传旨：交造办处，钦此"。三人中策凌敦多布为漠西蒙古土尔扈特人的首领，达尔嘛巴拉为策凌敦多布之母，尚古尔喇嘛则是其首要神职人员‹24›。他们进

献的钟表很可能是通过贸易获得的。

如此，钟表作为中外不同文化传统下宗教相互渗透、政治相互联络的媒介，随着西方传教士的一批批来华，以及地方官员的不断贡纳被进献到清宫里，大大丰富了清宫钟表收藏。

4.通过贸易渠道采办

大凡宫中用物，由各地采办者占很大比例，钟表亦不例外。和进贡的钟表一样，广州仍然是中西钟表贸易的最为重要的通道。这与清前期逐步形成的广州一口贸易管理体制即广州制度有密切关系。

广州制度由粤海关和十三行构成。粤海关主要管理广东沿海等处的贸易及税务，设有海关监督，全称为"钦命督理广东沿海等处贸易税务户部分司"，统辖海关全部事务。充任关督的多是包衣出身的内务府满员，因为包衣身属内务府上三旗，而上三旗直属皇帝管辖，所以监督也就是"皇帝的直接代表"‹25›。它由皇帝简派，"征收课税及凡应行事宜，不必听督抚节制"，权力很大。由于海关监督是公认的肥缺，故任职期限最多三年。三年之中，要不断向皇帝报效，以贡品形式进呈皇帝。据估计，"海关监督在任内每年经常送给北京的礼物，价值不下一百万两"，成为皇帝聚敛财富的重要渠道‹26›，十三行最初称为"洋货行"，其行商源于从事海洋贸易的海商被官府指定成为官商，专门经营对外进出口贸易。其主要职责是承担进出口贸易的实施和关税缴纳，充当外商与官府大宪的中介，从而成为中国人与西方商人交涉往来的实际执行者。但他们并不拥有相应的政治权力，其行为受到官府的限制，经济受到官府的盘剥，沉重的负

担经常使他们处于破产的边缘。替官府采购贡品和官用物件是行商们的一大负担。广东督抚、海关监督每年呈进贡品，俱令行商代为垫买，这些官物、贡品的"官价"远远低于市价，其差额需行商垫赔。更有甚者，这些贡品和官用物件"每需一件，关宪与内司、地方官向各行索取十件"。19世纪初，"每年各行收买钟表费用动辄需数十万元，行商支出困难"[27]。这些行商成为官用物品的稳定的供货源，进入宫中的钟表就是通过他们向西洋商人购买的。

据记载，西洋商人将钟表运到中国的广东售卖始于康熙时期，到乾隆时，中西钟表贸易量骤然增多。马戛尔尼使团到中国时曾有过如下结论："中国人的民族感情总无法否认和抵抗舒服方便的实际感觉。如同钟表和布匹一样，将来英国马车也将在中国是一大宗商品。"[28]说明当时中英间钟表的贸易量是相当大的。清代的档案也可以进一步说明这一点，据乾隆五十六年（1791年）粤海关的行文称，当年由粤海关进口的大小自鸣钟、时辰表及嵌表鼻烟盒等项共计1 025件。这与皇帝对钟表的喜好有着直接的关系。在这些成交钟表中，许多精致之作被当时总理外贸的粤海关监督及两广总督、广东巡抚等官员不惜重金购得，然后辗转进入内廷，而其中相当一部分资金是从内库中来的。

实际上，除作为贡品的钟表之外，地方大臣为宫中购买的西洋钟表都是在皇帝直接授意下进行的。一般由皇帝提出初步意向，相关衙门将其行文给广东督抚或粤海关监督，再由广东督抚或粤海关监督传达给行商。行商根据要求，向西洋商人洽谈购买或定做事宜。

皇帝对所要钟表的要求有时是非常具体的，从产地到式样面面俱到，乾隆帝就是如此。欧洲是现代机械钟表的发源地，无论其技术的先进还是工艺的精湛，当时的中国都无法与之相比，乾隆帝深知这一点，因此在其内心深处便自觉不自觉地形成了一种崇洋心理，认为器物以洋作为佳，要求购置纯粹的西洋产品。"从前进过钟表、洋漆器皿，亦非洋做。如进钟表、洋漆器皿、金银丝缎、毡毯等件，务要是在洋做者方可"[29]。而对于精好的钟表同样肯花大价钱。"此次所进镶金洋景表亭一座，甚好，嗣后似此样好的多觅几件。再有此大而好者亦觅几件，不必惜价"。同时，对所采办钟表质量的要求也是非常严格的。乾隆十六年（1751年）七月初六日，乾隆帝将4件自认为是三等的小洋钟表转交造办处查问来源，后查明是粤海关监督唐英所进。乾隆接着又查问是贡品还是采办品，并说若是作为贡品进献也就罢了，若是采办的便要追究其责任。因为按例采办理宜拣选头等物品恭进。最终问明确系采办，唐英为此赔补银两75两1钱6分。为此乾隆特谕："嗣后务必着采买些西洋上好大钟、大表、金钱、银钱并京内少有稀奇物件，买些恭进，不可存心少费钱粮。"[30]在这种情况下，负责采办的官员们用尽心思，搜罗各种奇钟异表，以满足皇帝对钟表的追求欲望，

与此同时，中国皇帝对西洋钟表的需求信息通过采办官员及中间商人反馈到西方。精明的西方钟表制造商看准了中国这个庞大的市场，为倾销自己的产品，他们施展其高超的技艺，研究中国人的欣赏口味，制造了大量适合中国审美观念，专门

[27] Morse：The Chronicles, Vol.3, P194.

[28] （英）斯当东著、叶笃义译：《英使谒见乾隆纪实》第359页，商务印书馆，1963年。

[29] 中国第一历史档案馆藏：《造办处各作成做活计清档》。

[30] 中国第一历史档案馆藏：《造办处各作成做活计清档》。

‹31› 《雍正朝满文朱批奏折全译》, 中国第一历史档案馆编: 黄山书社, 1998年。

‹32› 中国第一历史档案馆藏: 《内务府来文》。

‹33› 中国第一历史档案馆藏: 《宫中杂件》。

销往中国的钟表。西方钟表业对中国皇帝需求和中国风格的主动迎合, 为置办的官员和商人提供了便利, 加速了西洋钟表向清宫的流动。

5.抄家籍没

清代历史上, 许多封疆大吏、富商巨贾由于种种原因, 家产被抄, 籍没入官。在这些巨额资产清单中, 钟表是经常出现的, 而且往往是全额被宫中收取。且看两例: "内务府谨奏: 为尊旨查赵昌家产事。康熙六十一年十二月初二日奉上谕……现有银三千一百九十两……大小钟表六, 玻璃镜大小十三, 各种玻璃小物件一百九十三, 各种西洋物品一百六十八种, 大小千里眼六……拟将其中现有之银、钱交库……将钟表交自鸣钟修造处, 将玻璃器皿等物交烧玻璃处……此外, 其他物品、西洋药、小物件等, 或交各处另记, 或皆交商人作价, 然后交库之处, 请旨。"‹31›赵昌为造办处的官员, 康熙时曾参与火炮的制造, 与西洋传教士关系密切, 因此家中收藏的钟表及西洋物品很多。而这仅仅是属吏微员的抄家所得, 至于那些掌握实权的显宦的家财被抄, 所得也就更多。

在因罪家产被抄的大吏中, 和珅是最丰厚的一个。据档案记载, 仅查抄他在热河寓所所存贮陈设的器玩就达216件, 其中钟表就有洋人指表一件、座表一对、挂钟一对、座钟4座。而据英国特使马戛尔尼《乾隆英使觐见记》一书记载, 和珅在热河寓所陈设比较简单, 竟有上述这些物品, 可想而知, 他在北京的寓所和花园中的珍宝及玩器就会更多, 更精美了。至于具体的数目, 正史无载, 但私人笔记有的说从其家抄出大自鸣钟10

座、小自鸣钟300余座、洋表280余个; 有的则说大自鸣钟10座、小自鸣钟156座、桌钟300座、时辰表80个。如果和其在热河的情况相比, 说他收藏钟表几百件, 是有可能的。民间有云"和珅跌倒, 嘉庆吃饱", 看来, 籍没和珅家产也会使宫中的钟表数量大大增加。

与和珅关系密切的福长安家产被抄时, 也有座钟37座、表34个‹32›。而在另一件不知被查抄者姓名的抄家记录中竟有钟77座、表13件‹33›。可见在查抄大吏资产时所得钟表数量之多。

应该说, 抄家乃是宫中钟表收藏的一个十分重要的途径。

通过以上几种途径, 大量精美的钟表源源不断地进到皇宫中, 使皇宫及皇家园囿成为钟表最集中的典藏地, 皇帝成为拥有钟表最多的收藏者。同时, 也使我们知道了西方钟表的输入除众所周知的南方海上路线之外, 俄国等与我国西北接壤的邻邦亦是钟表输入我国的重要通道。无论是南方的海上茶叶之路, 还是北方陆上的貂皮之路, 恐怕其间都伴随有钟表的进口。

三 清宫钟表的陈设和使用

数量众多的钟表源源流入清宫, 与帝后们对钟表的需求有着密切的联系。大量档案为我们弄清这些钟表的去向即宫中钟表的使用情况提供了充分依据。归纳起来, 宫中钟表的使用大致如下:

1.钟表陈设，无所不在

在清代，钟表最集中的典藏地莫过于皇宫。皇帝和后妃是当时钟表消费的主要群体，他们收藏了堪称当时最珍贵、最精美、最别致的钟表作品。如此众多的钟表，主要是用于宫中及苑囿建筑内的陈设。钟表陈设分常年性陈设和年节陈设，前者基本是永久性的，钟表摆放在一个地点后基本不再移动，而后者则是临时性的，只逢年节陈设，以烘托节日祥和喜庆的气氛，年节过后则收入内库。

雍正时期宫中钟表的陈设已经相当普遍，举凡重要宫殿皆有钟表用以计时。内务府档案中提到陈设有钟表的宫殿有：宫中的交泰殿、养心殿、承华堂；畅春园的严霜楼；圆明园的蓬莱洲、四宜堂、万字房、含韵斋、事事如意、闲邪存诚、勤政殿、九州清宴、莲花馆、西峰秀色、紫萱堂、后殿仙楼等。从中可以看出，宫中和圆明园是陈设使用钟表最多的地方，这与雍正帝的日常生活和政治活动有关。乾隆时期，钟表数量骤增，宫中及园囿钟表的陈设密度加大，一间房子陈设多件钟表是很平常的。据清宫《陈设档》记载，仅宁寿宫东暖阁陈设的钟表就有"穿堂地下设洋铜水法座钟一架，洋铜腰圆架子表一对；楼下西南床上设洋铜架子表一对；西面床上设铜水法大表一件，铜镶珠口表一件；夹道地下设洋铜嵌表鸟笼一件，罩里外挂洋铜镶表挂瓶二对；西墙挂铜镶表挂瓶一对；窗台上设洋铜架嵌玻璃小座表一对"。竟有16件之多。

钟表的陈设并不是随便为之的，皇帝的意见起着决定性的作用。

首先，皇帝的喜好决定了宫殿中钟表陈设的多寡及类别。以养心殿为例，除旧有陈设外，皇帝还随时指派做钟处造新钟加以充实。雍正三年（1725年）十一月二十九日传做灯表一件，画样呈览后准做。雍正四年十一月二十四日做成安在养心殿东暖阁内；雍正六年九月，雍正帝准备在东稍间安玻璃插屏镜一面，后觉得镜的北面板墙上略显空旷，于是传旨："镜北边板墙上安一表盘，钟轮子俱安在外间门书格上。"当年十月十六日做得花梨木边铜心表盘一件安讫。乾隆入住养心殿后，对殿内陈设的钟表要求："前殿东暖阁内着做二层西洋式架一座，上安时刻钟并五更钟，先画样呈览，准时再做。"四年（1739年）

慈禧照片左侧桌上陈设为英国钟表

(34) 中国第一历史档案馆藏：《造办处各作成做活计清档》。

(35) 中国第一历史档案馆藏：《造办处各作成做活计清档》。

八月十四日将画好的钟架样进呈乾隆，乾隆看后认为中层稍高，应矮五六寸，再添些玻璃珠、栏杆顶等。同年九月十五日，将底层饰油画的西洋式钟安装在东暖阁[34]。在补充新钟表的同时，对以前陈设的不合自己口味的或不觉新奇的钟表随时予以更换。乾隆元年，传旨将养心殿穿堂壁上现安钟表去了，其空处另安表一件。四年九月又把后殿陈设玻璃球珐琅表盘时乐钟连同钟架拆除，钟被送往圆明园安设，钟架修整后陈设在重华宫。

具体到某件钟表陈设在哪儿，如何陈设，多由皇帝指定。如：雍正元年（1723年）七月六日，太监胡世杰交来西洋镶珠石行驼玻璃山自鸣乐钟一座、西洋镶嵌珠石楼子风琴钟二座等三件，传旨将玻璃山自鸣钟交李裕在圆明园玉玲珑馆有景致处安设，楼子风琴钟二座配座交水法殿陈设。即使是不常驻足的行宫中的钟表陈设，皇帝也要过问。乾隆六年，乾隆准备前往承德避暑山庄，途中要驻跸汤山、石槽、密云县、遥亭、两间房、长山峪等行宫，关于各行宫内的陈设，乾隆特别指示造办处照喀尔河屯行宫内安设的表瓢、表盘的样子制作钟表安装在各行宫内寝宫的墙上。具体安在哪儿，"俟朕到时再指地方安设"。

可见，伴随着皇帝的行踪，钟表陈设几乎达到了无所不在的程度。

2.随侍及交通工具内使用

皇帝离开皇宫出巡到其他地方，自鸣钟处都要派太监携带钟表随侍。如雍正六年（1728年）十月二十日，首领太监赵进忠来说：本月十八日随侍自鸣钟首领太监薛勤传旨：着向养心殿造办处要好的表一件，随侍用，钦此。本日郎中海望启诒亲王。王谕：着将自鸣钟处收贮的好表选一件交进侍候……于本日将自鸣钟处收贮银盒银套表一件，首领太监赵进忠交随侍自鸣钟太监武进庭持去讫。

与此相对应，皇帝乘坐的交通工具内都安有钟表，档案中多处记载在上乘车轿内安设表匣之事。如：

雍正六年正月十三日，首领太监赵进忠来说内大臣佛伦传旨：自今以后出入轿内右边前头着安表，钦此。于十七日首领太监赵进忠传做盛表糊锦面红绫里嵌玻璃合牌匣二件，记此。于十九日做得糊锦面红绫里嵌玻璃合牌匣一件，内盛表一件，领催白士秀交太监赵进忠持去讫。于二十四日做得糊锦面红绫里嵌玻璃合牌匣一件，内盛表一件，催总常保交太监赵进忠持去讫。

十一月初一日，首领太监赵进忠来说怡亲王谕：上乘车内安的表着做铜捋合牌胎锦匣盛装，遵此。

雍正七年二月初三日，首领太监赵进忠来说郎中海望传将上乘车内盛表匣三个另糊新里，记此。

闰七月二十三日，首领太监赵进忠来说，随侍自鸣钟太监武进庭传：大礼轿内着安表匣一件，记此。于八月二十日做得表匣一件安讫[35]。

这种情况下使用的钟表多是比较精致的小表，一般出行前由太监放进去，到达目的地后再由太监收起保管。不难看出，作为最主要的计时工具，钟表已经是皇帝须臾不可离开左右的物件，这更进一步说明清代钟表广泛使用的程度。

时间的艺术 交流的记忆——清宫钟表总说

3.钦赐钟表以示恩崇

赏赐臣工是加强君臣关系的重要手段,清代赏赐的物品多为食品、药材、武器、小佩饰等,有时也有将自鸣钟用作赏赐物品的情况,但并不多见。这是由于钟表在当时十分珍贵,皇帝轻易不肯赐给他人。因此,能够获此殊荣的人少之又少。

雍正二年(1724年)三月,雍正帝赏给时在西北的年羹尧一只自鸣表,为此年特进折谢恩:"太保公四川陕西总督臣年羹尧为恭谢天恩事。三月十七日由驿赍到御赐自鸣表一只、朱笔上谕二纸,臣叩头祗领,捧读再四,臣喜极感极而不能措一辞。"在年羹尧的奏折上,雍正朱批如下:"从来君臣之遇合,私意相得者有之,但未必得如我二人之人耳。尔之庆幸,固不必言矣;朕之欣喜,亦莫可比伦。总之,我二人作个千古君臣知遇榜样,令天下后世钦慕流涎就是矣。朕时时心畅神怡,愿天地神明赐佑之至。"[36]可见二人关系相当密切。

幸运如年羹尧者终为少数,大多数的赏赐仅限于皇亲国戚。雍正六年"八月十九日,圆明园来帖内称,八月十八日为怡亲王福金寿日,所用寿意活计等件太监刘希文、王太平等奏闻。奉旨:准着照年例预备,钦此。本日郎中海望。太监刘希文、王太平同定得做八仙自鸣钟一件,记此。于十三年十月初四日

收拾好,首领赵进忠呈进讫"。雍正八年"十月初八日,据圆明园来帖内称,八月三十日首领太监赵进忠来说太监刘希文传旨:将豆瓣楠木小架自鸣钟赏给果亲王,钦此。于本月将豆瓣楠木小架自鸣钟赏给果亲王讫"[37]。

清宫档案在记载内宫和圆明园等处的钟表库存情况时往往单列一项,专门记录准备或已经用于皇帝赏赐的钟表情况,这些钟表通常都放在备赏赐用钟表箱内。

可见,皇帝们是把钟表当作维系君臣关系、联络个人感情的媒介来看待的,尽管不经常使用。

四 极具皇家特色的艺术奇珍

在封建君主时代,帝王的好恶、艺术修养直接影响着宫廷中的艺术活动及价值取向,进而形成独具特色的宫廷艺术。而钟表则是清代宫廷艺术的重要物化形式。综合考察皇宫的钟表收藏及其历史,就会发现在钟表光艳夺目、绚烂堂皇的表象背后,实际上还蕴藏着更深的值得我们去关注的东西。

1.清宫钟表的特点

17、18世纪是中国封建社会的鼎盛时期。社会稳定,财富

〈36〉李永海、李盘胜、谢志宁翻译点校:《年羹尧满汉奏折译编》第275页,天津古籍出版社,1995年。

〈37〉中国第一历史档案馆藏:《造办处各作成做活计清档》。

<38> 方豪:《中西交通史》第760、761页, 岳麓书社, 1987年。

<39> 中国第一历史档案馆藏: 《宫中进单》第100包。

空前积累, 为追求奢侈生活、讲求享受提供了条件。巨大的财富, 有相当部分用于奢侈品的消费。钟表由于其精巧的设计、奇特的功能、美观和名贵的装饰成为奢侈品的代表, 当时的各个阶层对其有着强烈的好奇心和占有欲, 皇帝们自然也不例外。正由于此, 使皇宫钟表收藏形成了鲜明的特色。

其一, 皇帝们对奇器的追求决定了宫中钟表收藏颇具观赏性。如前所述, 清代皇帝, 尤其是乾隆帝对钟表的评价是以新奇为第一标准的。在大量的清宫档案中, 不止一次记载乾隆要求大臣进献样款形式俱好的钟表。这里的样款形式即指钟表上的各种机械变动装置。如指日捧牌、奏乐、翻水、走人、拳戏、浴鹜、行船, 以及现太阴盈虚, 变名葩开谢等, 自然界的各种运动现象几乎无所不包。乾隆对这些奇巧之物的迷恋达到了少有的程度, 以至于以钟表师资格被召入京的西洋人汪达洪都得出了"盖皇帝所需者为奇巧机器, 而非钟表"[38]的结论。清宫遗留下来的钟表大部分都带有各种机械玩意, 有的甚至喧宾夺主, 把钟表的计时功能挤到极其次要的地位, 应该说这不是偶然的。

其二, 皇帝们对钟表制作的参与决定了清宫钟表具有相当高超的工艺水平。大臣进献或皇宫中制作的钟表, 其最后的验收者是皇帝本人。而皇帝们对钟表活计的要求又是相当苛刻的, 在清宫档案中, 经常有因为所进贡品不合皇帝口味而被驳回或因活计的粗陋而受到申斥的记载。如:乾隆五十七年(1792年), 造办处把机械写字人的亭子式样做错, 乾隆大为光火, 并"不准开销"。在这种情况下, 无论是进钟的人, 还是做钟的人都必须一丝不苟, 每个工序都要配以最优秀的工匠。钟表上的

錾、雕、嵌、镶、镀诸工种都要经过通力合作方能完成, 因此, 清宫收藏的钟表件件都是精品。精湛的工艺水平在皇宫收藏的钟表上得到了充分体现。

其三, 毫不吝惜地投入决定了清宫钟表用料贵重讲究, 具有富丽的皇家气派。皇帝们为搜罗和制作钟表是从来不惜花大价钱的。如传谕置办贡品的官员:"似此样好看者多觅几件, 再有大而好者, 亦觅几件, 不必惜价。"又如传谕做钟处将收进的210条发条用于做五更钟, 发条用完, 又传谕广东粤海关采办上好广钢2 000斤送京, 以备陆续打造活计之用[39]。所有这些, 都为皇宫钟表的收藏和制作提供了雄厚的经济基础和物质条件。现存清宫钟表大多都用料考究, 有的表面嵌有珍珠、钻石、玉及其他宝石, 尤其是造办处的御制钟, 外表多用珍贵的紫檀木雕刻成楼、台、亭、榭、塔等建筑式样, 给人一种庄重典雅的感觉。

2.清宫钟表的文化价值

对于故宫所藏的钟表, 人们过去往往只从实用的计时功能或者表面的绚丽堂皇等方面进行研究和描述, 其实, 通过前面对宫中钟表历史的追述, 可以清楚地看出钟表曾在宫中扮演了多么重要的文化角色, 它们的价值还远远没有充分发掘。笔者以为, 故宫所藏的钟表至少有以下几方面的价值值得关注:

首先是其机械和科技价值。钟表制作技术的不断完善从来都不是孤立进行的, 需要天文、机械、物理、金属冶炼等多种学科的发明成果作为知识保障和技术支持, 摆、发条、游丝、各种擒纵器的发明使钟表越来越精确。同时, 对计时精度的更高要求也不断地促使制作者改进金工技术和车床, 寻找更优质的材

料，这对其他制造业的发展具有十分重要的影响。可以说，钟表打破了各种知识和技术之间的无形的障碍，成为名副其实的"机器之母"。明清宫廷中的钟表是人类钟表史上巅峰时期的辉煌之作，通过这些钟表，我们可以了解当时钟表制作及其相关领域的发展水平。尤其是熟练掌握制钟技术的西洋传教士的东来，使中国制作的钟表在很短的时间内便与西方并驾齐驱，且有所发明，其中更钟的设计和研制成功便是一个很好的例子。在明清两代皇宫所收藏的科学仪器中，钟表是科技含量相当高的一个门类。

其次是其工艺美术价值。故宫所藏钟表大多设计独特，造型别致，制作一丝不苟，精益求精，往往集雕刻、镶嵌等多种工艺于一身，具有相当高的工艺水平，显示出不同国家、不同地区、不同时期鲜明的风格特点。有的甚至可以填补相关领域研究的空白。比如故宫收藏有英国18世纪著名钟表匠詹姆斯·考克斯（James Cox）制作的几十件钟表，这在国内外都是罕见的，这些钟表有的完全是西方风格，有的则融合了东方文化的特质，反映出当时西方钟表业对中国需求和审美的迎合，是研究其人

其作的最具权威的第一手资料。再比如在清代广州盛行一时的透明珐琅，色彩艳丽，制作精细，是广州工匠效法西洋技术，并结合我国民族艺术特色创制的一种工艺，曾大量在广州制造的钟表上运用。然而这种独具特色的工艺品种的历史现在却变得相当模糊，在广州既找不到作坊的遗迹，相关的文献亦记载寥寥。而故宫所藏的清代广州钟表上却留下了大量的成品，为广珐琅的研究提供了最多最集中的样本。应该说，故宫所藏的钟表是研究明清中国工艺美术和西方造型艺术的重要资料。

再次是其社会文化价值。钟表自传入中国始就扮演了一种非同寻常的角色，成为东西方之间相互了解的媒介，交往的工具。从早期传教士带给中国人的惊奇到赢得中国人的认同，从在中国内地取得居留权到打开中国皇宫的大门，从私人交际携带的礼物到国家使团送给皇帝的珍贵礼品，从皇室用品的采办到中西间的贸易活动，其间都能看到钟表的影子，钟表在中国传播和被认知接受的速度，是其他任何西方物品无法比拟的。钟表的输入不但改变了中国传统的计时方法，过去广泛使用的日晷、刻漏逐渐被更为简便易用美观精巧的钟表所取代，更为重要的是对中国人的时间观念产生了不小的影响。钟表已经不单单是实用的计时工具，更是文化交流和传播的使者。

现在故宫博物院所藏钟表达千件之多，为向人们展示皇宫钟表收藏的面貌，故宫博物院专门设立了钟表馆，将钟表精品陈设出来供人们观摩。流连其中，感觉到的不仅仅是它的奇巧，而更多的是其中所蕴含的文化意义。

Art of Time, Mementos of Communication:

A Survey of Timepieces in the Qing-dynasty Palace

By Guo Fuxiang

The Palace Museum's clock and watch collection is based on three hundred years of accumulation from the late Ming through the Qing dynasty, including timepieces from both Europe and Asia. It holds a preeminent position among such collections in the world.

Western timepieces were first brought to China by European missionaries, who found that the Chinese showed great curiosity for these incredible contraptions that could chime the time by themselves. Timepieces became the best choice and an integral part of the gifts for missionaries who wanted to gain entrance to China. Besides their missionary work, the presentation and demonstration of timepieces enhanced communication with the Chinese literati and bureaucrats and even touched their souls.

However, for missionaries, it was far from enough to ingratiate themselves with local officials and common people. In dynastic China, it would have been impossible for the Christian faith to gain a foothold without contact with the emperor and persuading him to accept it; at the very least, the emperor's authority would have made missionary work much easier. So as soon as a missionary stepped onto the soil of China, he would devote himself to gaining access to the emperor. They made unremitting efforts. Interestingly enough, it was again timepieces that played an important role in gaining access to the court.

As early as 1598, Matteo Ricci (1552-1610) arrived in Beijing and tried to present his gifts to the emperor before carrying out his work in the city. He failed, and retreated to the South in winter. Two years later, in May 1600, accompanied by young Diego Pantoja (1571-1618), he came to Beijing again to "pay tribute", and in January 1601 he succeeded, by pulling strings, in presenting his gifts to the Wanli Emperor (r. 1573-1620), who showed great interest in two chime clocks of different sizes.

When the emperor saw the bigger clock for the first time, it failed to chime the time, having not been properly set. He ordered Ricci to come immediately to put it right. After he was escorted to inside the second wall of the Inner Court, Ricci saw many people crowding around the clock. He told the learned eunuch sent by the emperor to receive him that the clocks he presented were made by very smart craftsmen, so that they could tell the time day and night with their hands and chime the time with their bells, all automatically. He also said that it would take no more than two or three days to learn to operate them.

The eunuch conveyed what he had heard to the emperor, who ordered four eunuchs from the Imperial Observatory to go to Ricci and learn how to use the clocks. He also bid them repair the bigger clock in three days. For three days thereafter, Ricci spent day and night in explaining to them the principles and usage of the chime clock, thinking hard to invent words not yet in the Chinese vocabulary to make himself understood. Diligent learners, the eunuchs took word-for-word notes of Ricci's explanation, and soon enough they could remember the inner structure of the clock and became skillful in adjusting it. Before the deadline, the emperor ordered the clock to be brought to him. Seeing the hands moving and hearing the clock ticking, he was greatly pleased, and rewarded Ricci and the eunuchs.

Those two chime clocks were the first modern mechanical clocks possessed by the court. After that, it became the vogue of Chinese emperors. Timepieces in a variety of designs could justifiably be called stepping-stones to the Chinese court. The two clocks for the Wanli Emperor mark the origin of the collection and of chime clock manufacture in the Imperial Palace.

For emperors, timepieces were either time keepers or furnishings, either high-class practical appliances or delicate masterpieces. Afterwards, clocks were sought after and collected through any means. As a result, timepieces came into the Palace through various channels.

Many of the timepieces in the Qing court were made in the Palace. The earliest institution in charge of making them was the Clock Workshop under the Imperial Workshops in the Hall of Mental Cultivation (Yangxin dian). As early as the late seventeenth century during the reign of the Kangxi emperor (r. 1662-1722), the Office of Self-Sounding Bells was set up in the Inner Court, where workers learned the principles of Western clocks, repaired old ones, and made new ones to be presented to the emperor on celebratory occasions. That was the origin of the Clock Workshop, which reached its prime in the Qianlong period (1736-1795). The most important task of craftsmen was to make chronographs of various kinds by imperial order. The making of a clock usually began with the emperor expressing his intention, or giving specific instructions, or with officials at the Imperial Household Department presenting a memorial to the throne with regard to precedents. Next the craftsmen would make a design accordingly, submit it for approval, and start to make the clock. Emperors often involved themselves in the work, and would sometimes attend to details. Designs and materials to be used had to be modified and approved by them. A quantity of documents in the imperial archives provides direct information for the study of emperors' influence on clock manufacture.

As the empire became more open to the outside world, diplomatic missions continuously arrived in China. Most of them were very careful in selecting gifts for the emperor. A typical case is the diplomatic embassy led by George Macartney (1737-1806) who arrived in 1793 in the reign of the Qianlong emperor. In the document describing his gifts, Macartney wrote that "It would be impolite to present Your Majesty with some fashionable bric-a-brac appealing to a short-lived curiosity. His majesty [King George], therefore, decided to select some articles that could show the advanced technology in Europe and bring new inspirations to Your Majesty's lofty mind." Timepieces that lived up to that standard were preferred as gifts to the emperor, especially by the Russians. Incomplete statistics show that Russian diplomatic corps presented as many as twenty some timepieces during the reigns of the Kangxi and Yongzheng emperors. They went directly into the Palace and became an important part of the court collection.

On important festivals and the birthdays of the emperor and his chief consort, local officials from all over the country would pay tribute to the court. Most of their gifts were native products, but some were so-called "auspicious things" and "ingenious contraptions." Officials from Guangdong and Fujian provinces often presented to the emperor, for both provinces were important windows for foreign trade. From time to time, imported Western clocks, watches, instruments, and toys were sent to Beijing. Meanwhile, more and more imitations of Western articles were made in Southern regions, especially in Guangdong, and the best of them were used as tribute by local officials.

The emperors, especially the Qianlong Emperor, had strict standards for such tribute. They would gladly accept well-designed ones that appealed to their tastes, but would severely reprimand officials who presented inferior ones. Li Zhiying, for instance, was reproached by the emperor, "The music clock with moving figures presented by Li Zhiying as annual tribute is inferior in design and style. Make it known to the Guangdong Customs Superintendent that hereafter Western clocks presented to the court must be of good design and style, and henceforth crude ones like this should not be presented." As a result, local officials presented the best they could obtain so as to curry favor with the throne.

Another important source of the court's timepiece collection was purchasing institutions set up in various areas by the Inner Court. Guangzhou was the most important channel for trade of timepieces between China and Western countries. Historical records show that Western merchants first brought timepieces to Guangdong for sale during the Kangxi period. The reign of the Qianlong Emperor saw a boom in sales. As concluded by the Macartney delegation, "national pride of the Chinese is no match for the practical sense of comfort and convenience. Like clocks and cloth, British carriages will be in large demand in China." That attests to the volume of British clock sales in China, which is further illustrated by Qing archives. As recorded in a customs document written in 1791, chimes of various sizes, watches, and snuffboxes mounted with watches imported through the Guangdong customs numbered 1,025. That was a direct result of the emperor's love of clocks. Some exquisite ones were purchased at high cost by the Customs Superintendent, the Governor of Guangdong and Guangxi, and the Circuit Inspector of Guangdong, before they were sent through tortuous channels to the Inner Court. A considerable part of the cost was covered by the imperial treasury.

A large number of exquisite timepieces were sent continuously to the Imperial Palace through above-mentioned channels, providing the Palace and Imperial Gardens with the most concentrated collection of such devices, and making the emperor number one collector of them.

The improvement of clock-making techniques had always been supported by findings and inventions in astronomy, mechanics, physics, and metallurgy. Timepieces in the Ming and Qing courts marked the pinnacle of the technique, which allows us to know the contemporary standards of clock making and related fields. Of the scientific instruments assembled during the two dynasties, timepieces were among the most technologically intensive.

Most of the timepieces in the Palace Museum are character-ized by special and ingenious designs, precise craftsmanship, and the incorporation of sculpture and inlay, showing styles and features of different countries, regions, and times. They play an important role in the study of arts and crafts in the Ming and Qing dynasties and in Western plastic arts.

Ever since their introduction into China, timepieces played an unusual role as a medium of communication between East and West. Wondered at in the beginning, they came to be accepted by the Chinese. First used to gain the right of residence in China, they were used as stepping-stones into the Imperial Palace. At first presents in social intercourse, they became precious gifts for the emperor. At first purchased for the court, they became a trade commodity between China and the West. They were not only practical in telling the time, but also important for cultural exchange. Underlying their dazzling appearance are rich cultural connotations.

故宫藏钟表精品目录

中国钟表

英国钟表

法国钟表

瑞士钟表

Catalogue of Elaborate Timepieces In the Imperial Palace Collection

Chinese Timepieces

British Timepieces

French Timepieces

Swiss Timepieces

中国钟表

关雪玲

中国制造机械计时器的历史相当悠久。东汉安帝元初四年（117年）张衡制造出大型天文计时仪器——漏水转浑天仪。它用漏水驱动浑象进行天文测量，并通过齿轮等机械结构显示日历，初步具备了机械性计时器的作用。唐开元十三年（725年），张遂和梁令瓒制作的水运浑象具备了钟表擒纵器的一切要素。宋哲宗元祐三年（1088年），苏颂、韩公濂等创制的水运仪象台在计时仪器史方面的主要贡献在于，采用由天关、天锁、关舌等组成的天衡机构，控制枢轮作等速运动，此机构的作用类似于近代机械钟表的擒纵机构，在世界钟表技术史上占有重要的地位。元至元十三年（1276年），郭守敬设计、制作了大明灯漏，是一台专门用以计时的机械钟，通过齿轮系及相当复杂的凸轮机构，带动木偶进行一刻鸣钟，二刻鼓，三钲，四铙的自动报时。明初，詹希元制作的沙漏不仅具有和近代机械钟相似的齿轮，而且还出现了时刻盘和指针。对中国的这些创举，当代科技史大家李约瑟博士做出这样的评价："中国的发明和发现远远超过同时代欧洲，特别是15世纪以前更是如此。"照这样的趋势努力下去，中国完全有可能率先制作出现代意义上的钟表。但事与愿违，中国从此停滞不前。最终机械钟表还是明末时从西方传入的。与中国传统计时器相比，西洋机械钟表具有自己的特点，如复杂、紧凑、耐用的金属机构，走时准确度高，使用方便，报时直观，造型新颖多样等。因此，致使国人竞相仿制。史料中留下了明末清初时民间（如南京、上海、杭州、漳州等地）和宫中仿制西洋机械钟表的相关情况。

经历了明末清初对西洋机械钟表的艳羡、单纯仿制之后，中国机械钟表进入了自主制造时期。此时，从中央到地方出现了几个生产中心，进行着具有各自特色的钟表制造。清宫造办处做钟处所造的御制钟和广州生产的广钟都很有特色，也是故宫博物院所藏钟表中数量最多的两类国产钟表。以下就几个相关问题作一下简述。

做钟处的前身是自鸣钟处。自鸣钟处位于紫禁城乾清宫东庑之端凝殿南，因其地收贮西洋钟表而得名。国人最初接触到的西洋钟表因多能按时自动打点报时，不似中国传统的报时方式，故被称为"自鸣钟"。自鸣钟处的初设时间无法断定，但文献记载表明，它设立的下限是在康熙时期。

自鸣钟处虽因存贮钟表而得名，但随着时间的推移，其职能扩展到负责生产、修理钟表。早在康熙年间自鸣钟处就具备了一定的生产和修理能力，如康熙四十九年（1710年）皇太后七旬庆典时，康熙帝专门进献的一座万仙庆寿自鸣钟便是宫内制造的[1]。《庭训格言》中康熙帝有关大量制作钟表发条、修理顺治朝钟表的自述可进一步作为实证。"至朕时，自西洋人得做法（发）条之法，虽作几千百而一一可必其准，爰将向日所藏世祖皇帝时自鸣钟尽行修理，使之皆准"。其时在自鸣钟处下设有制钟作坊。当时在宫中为康熙帝服务的法国传教士白晋（Joachim Bouvet, 1656～1730, 1687年来华）为我们留下了线索："皇帝以法国科学院为楷模，在皇宫建立了以画家、版画家、雕刻家、制造钟表的铁匠和铜匠及制造天文仪器的其他匠人为会员的科学院。"[2]白晋所说的科学院应是指内务府造办处。

雍正元年（1723年），自鸣钟处和炮枪处、珐琅处、舆图处等

[1]清·余金：《熙朝新语》，上海古籍书店，1983年。

[2]（法）白晋著，赵晨译：《康熙皇帝》，黑龙江人民出版社，1981年。

3.《大清会典事例》卷八八六。

4.中国第一历史档案馆藏：《内务府造办处各作成做活计清档》。

5.中国第一历史档案馆藏：《内务府造办处各作成做活计清档》。

6.中国第一历史档案馆藏：《内务府造办处各作成做活计清档》。

7.J.T.Fraser N.Lawrence:《The Study of Time II》。

8.《清仁宗实录》卷五六，中华书局，1986年。

9.中国第一历史档案馆藏：《宫中杂件》。

10.中国第一历史档案馆藏：《清废帝溥仪全宗档》。

其他制器之作同隶属于内务府造办处[3]。雍正时期自鸣钟处制钟任务更加繁多，这一点从造办处活计档中可得到印证。档案载，雍正五年（1727年）三月初七日传旨："着将自鸣钟处收贮本处所造的自鸣钟，查二三个于明日黑早送进来，不要西洋的，钦此。于本月初九日，查得自鸣钟处库内收贮御制凤眼木架时刻钟一座，首领赵进忠呈进讫。"[4]雍正九年（1731年）十一月初九日，"传做备用珐琅盒小表二分，着自鸣钟处太监等做"[5]。由此可知，雍正时期自鸣钟处下属的制钟作坊已具有不可低估的生产能力和生产水平。

"做钟处"首见雍正元年活计档。雍正元年活计档之油木作中，"七月初六日，库掌四德、笔帖式富呢呀来说，太监胡世杰交西洋镶珠石行驼玻璃山自鸣乐钟一座，西洋镶嵌珠石楼子风琴钟二座。传旨：将玻璃山自鸣钟交李裕在玉玲珑馆有景致处安设，准时，配行驼座一件，交做钟处收拾摆年节。其楼子钟二座配座，交水法殿陈设"。自鸣钟处之条目下，"八月十八日副催长福明持来旨意帖一件，内开七月十六日太监胡世杰传旨内务府大臣英廉将做钟处新进到异兽顶兽腿铜花架糊锦夹纸座时乐钟二座之内只要一件，收拾改新，御制钟内要两件，内西洋木架时刻钟一座，高丽木架时刻钟一座，共三件，着派人送往热河来"[6]。尽管如此，但仍不能据此认为，雍正时期自鸣钟处的钟表作坊已发展成为做钟处并脱离自鸣钟处，成为造办处下的一个独立单位。大量档案表明，由制钟作坊发展成为做钟处经历了一定的过程。从雍正元年（1723年）至乾隆四年（1739年）八月前，所有制作钟表的事宜都列录在自鸣钟处下，而不是做

钟处之下，便可说明这点。换言之，虽然雍正时期已出现做钟处的名称，但它并未游离于自鸣钟处之外，仍然是自鸣钟处的一部分。至于其脱离自鸣钟处成为独立机构，肩负起宫中钟表制造职责，已是乾隆四年八月以后的事了。从此，自鸣钟处和做钟处各负其责，互不统辖，成为并存的两个机构。

做钟处的鼎盛时期是在乾隆朝，那一时期做钟处的从业人员多达100多人[7]。他们创造出独特的钟表类型，制作的钟表数量、质量，都是其他朝无法望其项背的。

嘉庆以后，做钟处逐渐式微，制钟较少。个中缘由是多方面的，首当其冲的是嘉庆帝对钟表和机械玩具的认识。他在四年（1799年）十一月的一条上谕中表明了对钟表、机械玩具的看法："朕从来不贵珍奇，不爱玩好，乃天性所禀，非矫情虚饰。粟米布帛，乃天地养人之物，家所必需；至于钟表，不过考察时辰之用，小民无此物者甚多，又何曾废其晓起晚息之恒业乎？尚有自鸣鸟等物，更如粪土矣。"[8]

光绪时做钟处只是管理宫中陈设的钟表，每日负责上弦，有些复杂的修理工作已力不从心，需要借助外部的技术力量，请宫外钟表局进宫或将钟表抬出宫外修理。光绪二十九年（1903年）七月，涌利钟表局即从宫中领出钟表30件[9]。

1911年宣统帝溥仪退位，清王朝统治宣告终结，但在紫禁城内，作为内务府下属机构的做钟处并没裁撤，逊清皇室时期（1911～1924年）仍从事一些简单的钟表维修事宜[10]。直至1924年，溥仪出宫，做钟处结束其使命。

遵照皇帝旨意制作各种钟表是做钟处最根本的任务。做

钟处是皇帝的御用生产作坊，其每件作品都试图将皇帝的意志、要求和爱好贯彻其中，并最终满足皇帝的要求。所谓的宫廷色彩浓厚，也即此意。做钟处所做的活计稍有偏差，皇帝便予以干预。雍正五年(1727年)曾有旨："近来造办处所造的活计，虽其巧妙大有外造之气，尔等再做时，不要失其内廷恭造之式。"[11]基于此，钟表的制作有一套相应的程序，每一步骤都不能偏离。

首先，由皇帝降旨选择钟表的式样，亦即钟表的造型、装饰。钟表式样或是借鉴原有的，或是特地设计。设计的程序，首先是画纸样(即平面图)，其次是做木样或合牌样立体模型(多层纸裱的纸片或纸板)。第二步，钦定式样。将纸样、木样或合牌样立体模型呈览，所有细节均合皇帝之意，即"准做"。不中意之处，指示修改。投入制作前，皇帝指定使用材料。在制作过程中，皇帝有时会改变初衷，临时更改式样。乾隆二十四(1759年)年四月初四日，太监张起画得紫檀木雕花钟架纸样二张、紫檀木高架转眼时乐钟纸样一张，供乾隆帝选择。最后，乾隆指示照紫檀木高架转眼时乐钟样做8份。九月二十六日，将现做未完毕的时乐钟呈览。乾隆帝过目后，觉得偏高，遂决定落矮8寸，让做钟处重新画样。新的纸样呈览后，乾隆帝仍不满意，授意再落矮3寸[12]。最后一步，皇帝审查钟表。做钟处制作的钟表，其最终的验收人是皇帝。

一件钟表的制作完成，仅靠做钟处一个部门是不可能的，还要仰仗造办处其他部门。铸炉处，负责铸造钟瓢。珐琅作，做珐琅钟盘及盘上珐琅字等。油木作，做木钟架、配安设钟表的香几、做钟罩、安罩上玻璃等。匣作，负责做盛放钟表的各种匣箱。钟壳上玻璃油画则交由如意馆完成。

做钟处是为保证皇室用钟成立的，但其职能并不是单一地制作钟表，还统辖一切与宫内钟表相关的事宜。如维修、保养，认看钟表等级、产地，奉旨在宫殿各处安设、陈设钟表等。

由西洋传教士、匠役、做钟太监组成的多个层次技术队伍，成为技术比较全面的钟表制作群体，他们是宫中钟表制作赖以存在和发展的基础，是做钟处得以生存的根本所在。

目前故宫博物院所藏做钟处钟表大多数是乾隆时期所造，此时期是宫中钟表制作的鼎盛时期。无论是钟表的种类，还是质量，都是空前绝后、无与伦比的。故此，很大程度上，我们所说的做钟处钟表的特征，是依据存世的"乾隆御制"钟而提炼、总结出来的，实际上就是"乾隆御制"钟的特点。

御制钟多以木结构为主体，给人以庄重肃穆之感。其所用木料主要有紫檀木，兼有高丽木、花梨木、杉木等。紫檀木上或雕花，或镶嵌铜条，或光素。此外，还有黑漆，在黑漆地上描金的洋漆钟架。钟的造型为亭、台、楼、阁。有的钟简直就是宫殿建筑的缩微，连栏杆、柱头，乃至屋脊上的吻兽也悉数做出。

御制钟的表盘有鲜明的特点。其质地有两种，一为珐琅，一为铜镀金。两种质地表盘布局是相同的。中圈是黄地彩绘花草珐琅或铜镀金，用来上弦的弦孔或三个或五个，均匀排列在圈的下部。上半部有弧形开光。珐琅表盘的开光处是白珐琅描蓝边，其内有蓝色楷书"乾隆年制"。铜镀金表盘的开光处突起的铜地上，錾刻楷书"乾隆年制"。代表时间的罗马和阿拉伯数

[11]中国第一历史档案馆藏:《内务府造办处各作成做活计清档》。

[12]中国第一历史档案馆藏:《内务府造办处各作成做活计清档》。

‹13›朱培初:《清代宫廷的英国钟
表》,《紫禁城》1983年第1期。

‹14›J.T.Fraser·N.Lawrence:《The
Study of Time II》.

‹15›中国第一历史档案馆藏:《内
务府造办处各作成做活计清
档》。

‹16›中国第一历史档案馆藏:《内
务府造办处各作成做活计清
档》。

字写在白色珐琅环上或刻在银色环上。珐琅时刻环外的剩余空间布满与中心图案一致的黄色珐琅;银色时刻环外的空间是镀金錾刻花草图案。这样几种颜色相间的表盘,比起单一的同色珐琅盘,工艺要复杂,制作起来需费周折,这也正是清宫做钟处钟表的特色之一。

做钟处擅长制作更钟、大型自鸣钟、迎手钟、冠架钟及风扇钟等具有宫廷特色的钟表品种。

广州是清代民间机械钟表制造的重要中心之一,是中国最早接触自鸣钟的地方。广钟以其独特的风格受到人们的关注。广州钟表的兴起得益于其得天独厚的地理环境。明末清初,欧洲传教士把自鸣钟带到广州,并用其疏通官府,拉拢讨好中国官员,引起了人们对自鸣钟的兴趣。此外,康熙中期下令开海禁,在东南沿海设海关,监督和管理进出口贸易,广州是当时中西方贸易的中心,由外国进口的西洋钟大量在广州集散。受这些因素的影响,广州开始出现钟表制造业。乾隆时编纂的《广州府志》在谈到广州的钟表生产时说:"自鸣钟,本出西洋,以索转机,机激则鸣,昼夜十二时皆然。按:广人亦能为之,但未及西洋之精巧。"到乾隆时期已经具备相当规模,成为我国生产机械钟表的重要基地。

当年,广州既有本土人开设的制钟作坊,也有欧洲人开办的钟表工场。欧洲商人为了获得更大利润,从该国运来机械设备,派遣匠师,在广州开设了钟表工场。如,英国东印度公司的船长,英国人马金图斯(Willam Mackintosh),经常来往于伦敦和广州,他就在广州开设了一个工场。乾隆五十八年(1793年)

英王使节马戛尔尼(MacCartney)来华时,在广州逗留期间,便参观了其工场。其随从在日记中写到:"那里都是一些制造钟表的精巧机械。工场生产的钟表很多,其中一个特别古怪,美丽的金字塔形,金色的大蛇攀附在柱子上,不断地向上快速旋转。伏在地面的四条龙,从嘴里喷出珍珠。还有四只大象各自围绕着龙,庞大的身躯不停地蹒跚,弯曲的象身、象尾都在摆来摆去。"‹13›另一工场是18世纪伦敦著名的钟表匠詹姆斯·考克斯(James Cox)的后人所开。1793年马戛尔尼到广州时,工场已归荷兰人所有,名为比利(Beale)工场。马戛尔尼听从随行的钟表匠建议从比利工场购买了具有复杂结构的钟表作为送给皇帝的备用礼物,可惜的是这件钟表在进京途中被毁‹14›。

广州造钟的历史最晚能追溯到康熙年间。雍正元年(1723年)二月的一条档案可证明这点。"初一日,副催长福明持来押帖,内开正月二十七日……党进忠将漆架广坠子钟一件,画得黑漆描金花架时刻钟纸样一张,交胡世杰呈览。奉旨:照样准配做时刻钟瓢二分,架子另做,添补收拾见新。其旧瓢二分收贮,钦此"‹15›。至雍正元年二月,这件钟表外壳已缺损、坏旧,可见进到宫中已有些时日,所以断定它制作于康熙年间应是恰当的。康熙、雍正年间广钟生产已有一定规模,不仅宫中有收藏,达官显贵家也可见其踪影。"雍正六年(1728年)四月二十八日,银库员外郎明书交来乌木架自鸣钟四架,系安图家抄来,俱有破坏处。奉庄亲王谕:着交造办处,遵此。"当日领催王吉祥拆开认看得其中二架是广东做的钟‹16›。安图是康熙朝大学士明珠家的总管,家底殷实。由于早期的广钟多为仿制西洋的东西,质量不是太好，故乾隆十四年(1749年)二月，皇帝传谕给两广总督："从前进过钟表、洋漆器皿，亦非洋做。如进钟表、洋漆器皿、金银丝缎、毡毯等，务是要在洋做者方可。"[17]粤海关只好花高价购买进口钟表进贡，这从一个侧面反映出早期广州制钟的情况。经过几十年的学习和技术积累，乾隆中期以后广钟的质量有了质的飞跃。无论是钟壳还是机芯，都可与西洋钟表相媲美。广东地方官员又开始将其作为贡品献给皇帝。如，原任粤海关监督德魁之子海存恭进家中存留的自鸣钟等，其中有紫檀木镶玻璃罩镀金铜人时钟等共22件[18]。延至嘉庆时期，广东粤海关每年都要向宫中进献2至4件广钟，使清宫成为广州钟表最集中的典藏地。

从清宫现存的广钟藏品来看，广州钟表一个最突出的特点即其表面多是色彩鲜艳的各色珐琅。这种珐琅又称"广珐琅"，有黄、绿、蓝等颜色。珐琅上的装饰花纹细密繁缛，很有规律，是其他地方的钟表所不具备的。透过雍正、乾隆时期的《内务府造办处各作成做活计清档》，嘉庆时期的《陈设库贮档》，我们知道，除珐琅钟外，广州还制作漆架钟、描金漆钟、紫檀木架钟、高丽木架钟、乌木架钟、嵌铜活木架钟、铜镀金架钟、铜贴金架钟。广州钟表另一特点是具有非常浓郁的民族和地方特色。其整体外形多为房屋、亭、台、楼、阁等建筑造型，或者做成葫芦、盆、瓶等具有吉祥含义的器物形状。内部机械结构也相当复杂，除了通常欧洲钟表所具备的走时、报时、伴乐系统外，还有各种变幻多样的玩意装置。这些玩意或者以文字对联形式表达祝愿，或者以特定的景物搭配，使其具有吉祥祝福的意义。钟

的形式不仅有常见的座钟，还有挂钟等。

广钟按惯例，除"任土作贡"被贡献到宫中外，还有一些产品面向民间市场。这些产品无论是设计，还是内部机械结构都是比较简单的，无法和进贡钟表同日而语。现收藏于美国马萨诸塞州赛伦市(Salem)Peabody Essex博物馆的几张水彩画，真实地呈现出道光年间的情景。其中一幅描绘广州钟表店铺。画面中两个钟表匠坐在柜台内正埋头做活，另外两个匠人则在检验怀表。右边墙上的几件挂钟均以葫芦形重锤为动力，迎面的柜子分三格，左右格里分别摆放着尖顶的座钟，中间格里挂着带有长链子的怀表。

·17·中国第一历史档案馆藏：《内务府造办处各作成做活计清档》。

·18·中国第一历史档案馆藏：《内务府造办处各作成做活计清档》。

Chinese Timepieces

By Guan Xueling

After envying and simply imitating the Western mechanic timepieces in the seventeenth century, the Chinese mechanical timepieces entered a stage of indigenous manufacture. Each of the several production centers had its own manufacturing characteristics. The "imperial clocks" made by the Clock Workshop in the Qing Palace, and the 'Guang Clock' made in Guangzhou are two prominent types, as well as constituting the largest number in collections of the Imperial Palace.

The Clock Workshop was a specialized institution responsible for the manufacture of timepieces in the Qing Palace by imperial decree, and reached its prime in the Qianlong period. Usually, the emperor raised the basic intention and concrete requirements, or the ministers of the Imperial Palace applied for permission from the emperor, and then the craftsmen would provide designs and, after approval, would begin production. There are a variety of "imperial clocks", such as the night clock, armrest clock, coronal clock, and fan clock, all of which have vivid characteristics of the Palace. The royal clocks we see now were all made in the Qianlong period. Most of them have a wood structure, and the wooden materials used include precious *zitan* wood, as well as *huali* and fir. Most of them are in the shapes of pavilions, terraces, and pagodas, giving an impression of sobriety and solemnity. Some clocks are the miniature of palace buildings, with brackets, balustrades, balusters and even dragon-head ridge ornaments exquisitely carved. The dials of the imperial clocks are also distinctive, with the seal "Made in the Qianlong Period" on most of them. Most exemplifying the luxury and elegance of imperial clocks is the dial plate with painted floral designs in enamel on copper body.

The chime clock was first imported at Guangzhou. Beginning early, Guangzhou became an important base in China for the production of chime clocks. In the Qing dynasty, Guangdong clocks were frequently tribute articles submitted to emperors. Each year the officials of Guangdong paid several Guangdong clocks in tribute, so that the Qing Imperial Palace has the greatest concentration of Guangdong clocks. All of these clocks were rare and exquisite artworks, novel and beautiful in concept and design, meeting the demands of the emperors.

The Guangzhou timepieces have outstanding Chinese and regional characteristics. Most of them are made in the shapes of houses, pavilions, terraces and towers, or in imitation of utensils such as gourds, basins or bottles, all of which imply good luck. Their inner mechanical structure are complicated, including various kinds of devices quite apart from the timing, time reporting, and music playing. Some devices have couplets displaying good wishes, such as "Good fortune and life as long as heaven," "May you have a long life," "Peaceful and prosperous world," and "Enjoy a good health with abundant food."Some devices have pictures of auspicious sights, with meanings of good luck and blessings. For example, three goats are depicted to mean "the rejuvenation of nature in spring"; Sacred crane, deer, and fingered citron convey "good blessing, fortune, and longevity." The most outstanding characteristic of Guangzhou timepieces is the colorful enamels decorating the surfaces, the so-called Guangzhou Enamel, which are translucent, in colors of yellow, green, and blue. Meticulously detailed and orderly, the decorative designs on these enamels are rarely seen on timepieces produced in other places.

1

木楼转八仙塔式钟

清宫造办处　乾隆时期　高145厘米　底最宽处52厘米

Clock with the decoration of
Eight Immortals revolving in pagoda
Imperial Workshops　Qianlong period
Wood　Height 145 cm
52 cm at the widest part of the bottom

　　塔为13层。塔基座上围玉石栏杆，座正面有二针钟，钟盘上有两个上弦孔。机芯是二组盒装发条、塔轮、链条的动力源，带动走时、报时齿轮机械系统。镀金圆柱支撑塔身，塔每层内檐下的走廊上站立八仙人物。八仙在圆盘上，圆盘带动八仙围绕着圆柱转动。

　　上弦后启动，在乐曲伴奏下，八仙交错转动，也就是，奇数层1、3、5、7、9、11、13顺时针方向转，偶数层2、4、6、8、10、12层则逆时针方向转。

2

彩漆描金自开门群仙祝寿楼阁式钟

清宫造办处　乾隆时期　高185厘米　宽102厘米　厚72厘米

Clock with the decoration of tower,
automatic opening doors, and assembled
immortals extending wishes for longevity
Imperial Workshops　Qianlong period
Wood with colored lacquer and gold tracery
185×102×72 cm

　　楼阁式，外形为古建筑的具体而微，栏杆、柱头、屋脊上的吻兽均悉数做出。机械结构繁复，机芯由七盘盒装发条、塔轮、链条组成动力源。机轴擒纵器。每逢3、6、9、12时，楼上三间门均开启，三位持钟碗人缓步移出，到指定位置后立定，左右两边的人分别敲钟碗报时。

　　报时后，与报时系统相连的奏乐系统开始工作。在乐曲伴奏下，钟盘左右两组布景箱内的活动景观运作。左景观箱内，起伏的山峦间有傲立的仙鹤，漂浮在云层间的仙人缓步由下向上升起，海水中忽现一洞，洞中升起楼阁一座，寓意海屋添筹。右景观箱内，扶杖而立的老寿星正接受依次而过的八仙敬献的宝物。八仙人物固定在一个转盘上，循环往复而过，此景取意群仙祝寿。乐止，报时刻的敲钟人退回门内，楼门关闭，一切活动停止。

　　据造办处《活计档》记载，此钟乾隆八年由西洋机械师画样，乾隆帝认可后做钟处制作，直到乾隆十四年才完成。

3

紫檀重檐楼阁式嵌珐琅更钟

清宫造办处　乾隆时期　高150厘米　宽70厘米　厚70厘米

Night clock with the decoration of
double-eave pavilion
Imperial Workshops　Qianlong period
Zitan wood inlaid with cloisonné　150×70×70 cm

　　重檐楼阁式钟壳上嵌夔龙纹玉片，五蝠流云珐琅片。珐琅钟盘上的五个孔，分别是走时、报时、报刻、发更、打更五组齿轮系的上弦孔。钟盘上方有两个小盘，左边是定更盘，右边是节气盘，通过上面指针的拨动来确定不同节气更的起始时间。

　　此钟白天走时、报时、报刻，当分针指向一刻时，钟发出"叮当"声一遍，到四刻时，也就是正点，先"叮当"声四遍，然后再按钟点发出声响。夜间，与走时系统相连的更钟系统开始工作。打更前先调好节气盘和定更盘。由于一年之中不同节气起更时间，更间长短都不同，为解决这一问题，便要通过定更盘和节气盘起调节作用。每夜打更时，先打起更钟108响，接着定一更，敲钟一响三遍，然后按各节气不同日期更间应敲钟的遍数每隔7分钟打一响，按遍数敲完。接着定二更，敲钟二响三遍，按更间应敲钟的遍数每隔7分钟打二响。依次类推，待五更，按遍数敲完，接着打108响，为亮更钟。亮更后再通过人工使打更的滚筒恢复原位，以便次晚照常工作。

　　这座钟钟壳制作精细，装饰华美，机械系统复杂，是做钟处钟表的代表作之一。

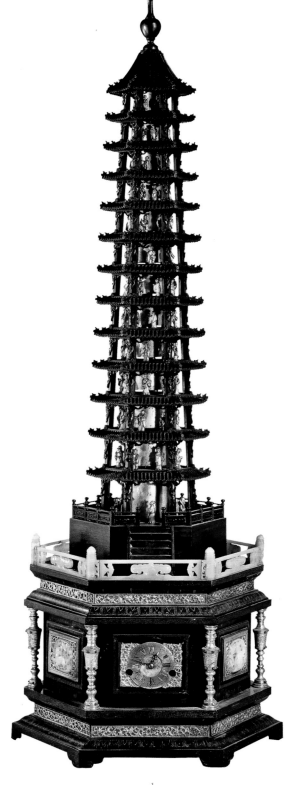

1

4

铜镀金转八宝亭式钟

清宫造办处　乾隆时期　高50厘米　宽23厘米　厚17厘米

Clock mounted on the top of
a pavilion with
Eight Buddhist Treasures in its center
Imperial Workshops　Qianlong period
Gilded bronze　50×23×17 cm

　　铜镀金嵌宝石重檐亭立在紫檀须弥座上。
英国造小表嵌在亭子顶端。上层屋檐上小铃铛
制作精细，累丝上有点翠"寿"字及云纹。亭内中
间是梵文六字真言转经桶，经桶内装满经卷。围
绕经桶是佛前供器——铜镀金点翠八宝，即轮、
螺、伞、盖、花、罐、鱼、肠。经桶和八宝下装有圆
盘，可以转动。
　　上弦后启动，经桶顺时针方向转动，八宝两
两相对，一个顺时针，一个逆时针转动。

5

红木套圆形双面钟

清宫造办处　乾隆时期　高102厘米　表径58厘米

Double-faced round clock with base
Imperial Workshops　Qianlong period
Mahogany and mother-of-pearl
Height 102 cm　diameter 58 cm

　　海水江崖座上升起朵朵祥云，祥云托起钟
盘。钟盘两面均有时间刻度，指示时间的罗马数
字由螺钿镶嵌而成。

4

5

6

铜镀金冠架钟
清宫造办处　乾隆时期　高48厘米　宽26厘米　厚9厘米

Clock with a function of hat stand
Imperial Workshops　Qianlong period
Gilded bronze　48×26×9 cm

　　为冠架式，顶端有五个杯形柱。卷草纹包
围着铜钟盘，钟盘上方铸"乾隆年制"款识。钟盘
上有走时、报时、报刻三组齿轮传动系统的上弦
孔。在钟体的右侧有一根绳子，欲知是几时几
刻，只需拉动绳子，便有钟声报时、刻。

　　冠架钟的特点是在钟的顶端有几个支撑
点，便于把帽子扣在上面。古人把帽子称为
"冠"，故这种造型的钟被称为"冠架钟"。

7

黑漆描金木楼钟
清宫做钟处　乾隆时期　高70厘米　宽49厘米　厚33厘米

Clock set in black-lacquered tower
Imperial Workshops　Qianlong period
Wood　70×49×33 cm

　　钟楼为铜骨架木包镶结构，钟壳仿日本
漆，在黑漆地上绘描金漆梅、竹、菊。打开楼阁
门可见钟盘。钟盘具有明显的乾隆御制更钟特
点，中圈是彩绘花草黄色珐琅，上半部有描蓝边
白珐琅开光，其内是蓝色楷书"乾隆年制"四字。
表示时间的罗马数字写在白色珐琅时刻环上。
钟顶钟架中扣着三个铜钟，每个铜钟旁均附有
小锤。每逢报刻时，与走时系统相连的绳索牵动
下面的两个锤子，相继敲钟，发出"叮当"声。当
正点时，小锤则敲击最上面的铜钟，发出"当"、
"当"声。

6

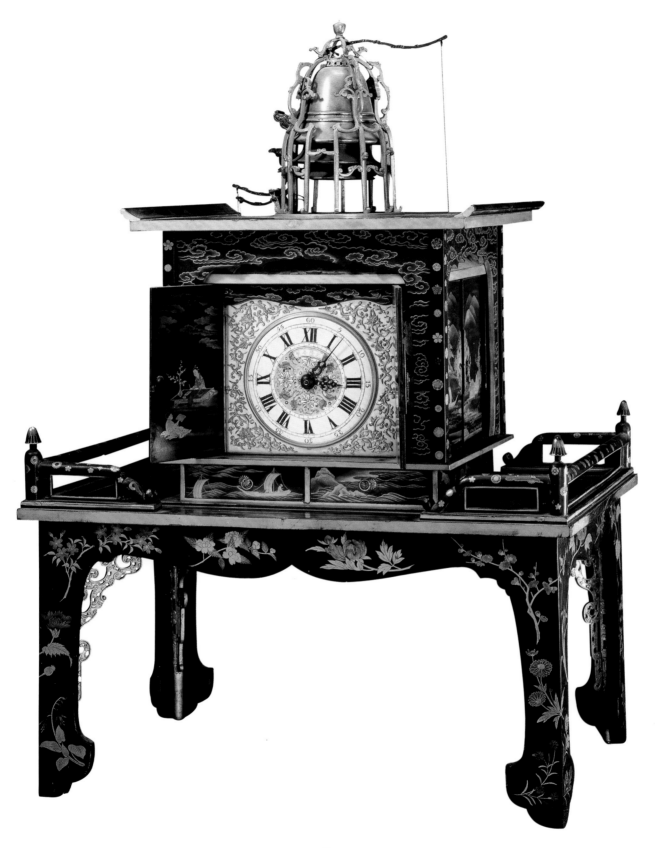

7

8
铜镀金迎手钟
清宫做钟处　乾隆时期　高31厘米　底36厘米见方

Clock with a function of armrest
Imperial Workshops　Qianlong period
Gilded bronze　31×36×36 cm

　　钟的造型是委角墩式，所錾花纹精美别致。正面安圆形钟盘，其周围嵌料石。其他三面饰以乐器图形，下衬蓝、绿色玻璃。音乐机械放置在内部，以盒装发条、塔轮、链条为动力源，并装有气袋，气袋连接一排金属哨，气体由气袋一端流出冲激哨子，哨子发出不同声音，奏出优美乐曲。此钟启动方式特别，用肘部压迫顶部软垫，垫下有一金属触杆即触及机械开关，发出优美的乐声，不听时移开肘部即可。

　　迎手钟，因其造型是仿宝座上起扶手作用的迎手形状而得名。它是清宫造钟表中特殊的品种。

9

木质金漆楼阁钟

清宫造办处 乾隆时期 高36厘米 宽23厘米 厚16厘米

Clock with the decoration of gold-lacquered tower

Imperial Workshops   Qianlong period
Wood   36×23×16 cm

　　钟从造型到装饰手法均仿照日本风格。钟盘是典型乾隆御制钟的式样。钟有走时、报时、报刻三套齿轮传动系统，三套系统的上弦孔在钟盘上。钟的底座内有抽屉，抽屉内盛放乾隆帝《御制祈谷斋居诗》《御制南郊斋居诗》《御制常雩斋居诗》三个册页、三个手卷。

　　祈谷、南郊、常雩是在天坛举行的大祀，从此可知这件钟表是乾隆帝到天坛举行祭祀大礼时携带之物。

10

彩漆嵌铜活鼓字盘二套钟
清宫造办处　乾隆时期　高63厘米　宽37厘米　厚16厘米

Clock with protruding numbers on dial
Imperial Workshops　Qianlong period
Gilded copper and wood　63×37×16 cm

钟以铜镀金四杯做底足，木质钟壳上髹黑漆，黑漆地上绘彩色卷草纹，钟边框、边角处包镶镀金神像、卷草。铜钟盘上錾刻卷草纹，镶白珐琅罗马数字，白珐琅数字盘较一般钟盘上字鼓且大，钟盘上半部开光处有"乾隆年制"四字，下半部有两个弦孔，表明此钟有走时、报时两套系统。钟盘下方铸一组西方神话人物，居中的是小天使，左右两女神各举一手，托举钟盘。

从钟的造型及所嵌铜活装饰，可以断定此钟是做钟处用欧洲钟的外壳，添配钟盘、机芯后组装而成。改造钟表是乾隆时期做钟处主要任务之一，造办处活计档中常见乾隆帝授意给钟壳添配机芯的谕旨。此钟除添配钟盘、机芯外，还在原钟壳的黑漆上加绘彩色卷草纹。

11

红木人物风扇钟
清宫造办处　乾隆时期　高194厘米　底54厘米见方

Clock with a figure holding a fan
Imperial Workshops　Qianlong period
Mahogany　194×54×54 cm

此钟分两部分。下面为箱座，内有抽屉，可放置物件。上半部分有须弥式底座，正面中心为三针时钟，钟盘周围镶嵌料石，盘上的两个弦孔，负责走时和报时。底座平台上前部跪一面带微笑的童子，其左手持桃，右手握桃形扇。后面为木雕山石、花树。在童子和山石之间立一双耳粉彩瓷瓶。瓶中插风扇，扇叶是蝙蝠形状。在底座前面上弦绞起底箱里的重锤后，童子持扇上下挥动，瓶中的大风扇便水平转动。

此钟红木雕花极为精细，体量巨大，是计时和玩具功能兼有的钟表。

12

铜镀金珐琅转鸭荷花缸钟
清宫造办处　乾隆时期　高122厘米　缸口径49厘米

Clock inlaid on a lotus pot
Imperial Workshops　Qianlong period
Gilded bronze and cloisonné
Height 122 cm　diameter 49 cm

缸腹部满饰花蝶纹，上、下口沿分别是云头纹、海水纹一周。腹部正面装钟盘，其周围镶红绿料石。缸面以玻璃镜示宁静水面，中心有鹭鸶围成圈，缸中布置荷塘景观，其中三朵荷花可开合，花心中分别端坐西王母、持桃童子、持桃仙猿。在钟盘的左右有上弦孔，左边的负责走时系统，右边的控制奏乐和活动玩意装置。

开动后，在乐曲伴奏下，镜面下与鹭鸶身子相连的铜圈由机械拉动着转动。荷花梗中的牵引杆受机械作用，花瓣张开，露出花心中西王母、童子、仙猿，西王母稳坐不动，童子、白猿跪拜呈献桃状。

此钟是清宫造办处工匠用广州制作的掐丝珐琅缸和法国的奏乐机械系统装配而成的。

12

13

紫檀楼式时刻更钟

清宫造办处　乾隆时期　高100厘米　宽51厘米　厚41厘米

Night clock with tower
Imperial Workshops　Qianlong period
Zitan wood　100×51×41 cm

　　钟的造型是中国传统楼阁式，紫檀木须弥座外壳，通体雕西蕃莲，钟左、右两侧饰镂空铜镀金花板，板上雕五福捧寿图案，间以流云。钟盘布局是乾隆御制更钟的典型式样，黄色珐琅，有"乾隆年制"款识，下方五个启动弦孔从左至右依次为：走时、报时、报刻、打更、发更。钟上部端立四柱方形亭子，亭下倒扣铜钟，钟旁附木锤，木锤与钟瓤内打更系统相连。此钟白天走时、报时、报刻，夜间打更。报时、报刻时敲钟瓤内钟碗，打更时敲亭下铜钟，报更声浑厚洪亮，直达远处。

　　这件钟是乾隆御制钟的代表之一，从中可见此类钟的共性：以色彩暗淡的木结构来突出其肃穆，高大宽厚的形体显示其端庄。由于有不少西洋钟表师在做钟处供职，御制钟的机械部分也是相当精准的。

14

木质转八仙楼阁式钟

清宫造办处　乾隆时期　高88厘米　宽51厘米　厚40厘米

Clock with pavilion and Eight Immortals
Imperial Workshops　Qianlong period
Wood　88×51×40 cm

　　两层楼阁式。楼顶及钟之四边各饰黄地彩绘花卉纹珐琅。正面铜面板的四角錾刻蝙蝠、双夔凤捧团寿字。表盘上并排着走时上弦孔、报时上弦孔。上层亭中央有一活动圆盘，盘中间坐着玉皇大帝，其周围是一圈八仙人物。

　　活动机械开动后，在乐曲声中，圆盘带动八仙做圆周运动。

13

14

15

硬木雕花楼式自鸣钟
清宫造办处　乾隆时期　高585厘米　底260厘米见方

Chime clock on a tower with carved
floral patterns
Imperial Workshops　Qianlong period
Wood　585×260×260 cm

　　钟体为二层楼阁式。计时部分在上层，钟
盘铜镀金錾花镶白珐琅罗马数字。楼顶悬挂两
个铜钟，铜钟旁附锤子，锤柄所系绳索与机芯
相连。此钟有三组铜制齿轮传动系统，中间一
组是走时系统，带动时、分针，右边一组是报刻
系统，左边一组是报时系统。每组机构均系一根
羊肠弦，弦上拴100多斤重的铅砣。上弦时皮弦
卷在辘轳轴上，提带起铅砣。铅砣以恒定速度下
坠，产生作用力，使辘轳轴向反方向转动，带动
齿轮传动系统。每走时一刻钟，报刻系统的机械
牵动报刻的锤绳，锤敲钟碗报刻，一刻钟敲一
响，二刻钟敲二响，依次类推。报完四刻，报时
系统的机构带动报时的锤绳，锤敲钟碗报时。钟
在上层背面上弦，上一次弦可走三昼夜。

　　此钟原作为象征皇权的礼器陈设在太上皇
理政的皇极殿，后移到奉先殿。它是现存做钟处
制作的最高大的自鸣钟。

16

黑漆金花木楼自鸣钟
清宫造办处　嘉庆三年　高557厘米　宽221厘米　厚178厘米

Chime clock on a tower with carved
floral patterns
Imperial Workshops　1798
Wood　557×221×178 cm

　　底层做成封闭的柜形起遮挡作用，其背面
有门，门内可见与机芯连接的三组羊皮弦和坠
砣。中层是计时部分，钟盘直径达一米。钟盘背
后有门，机芯在其中。钟楼背后有台阶，拾级而
上给钟上弦。机芯结构与硬木雕花楼式自鸣钟相
同。上层中心尖顶下倒扣着两个附有小锤的铜
钟，报刻敲上面的铜钟，报时则敲下面的铜钟。
每一刻一响，一时一鸣，正点时，先打四响，表示
四刻，再打点数。

　　此钟作为礼器陈设在交泰殿。交泰殿陈设自
鸣钟有相当长的历史。乾隆时期编修的《皇朝礼
器图式》便收录有交泰殿大自鸣钟。乾隆时期在
宫中供职的大臣沈初在《西清笔记》中记述了大自
鸣钟声悠远直达乾清门外，入值诸大臣佩带的
怀表参考大钟来校准。嘉庆二年，乾清宫火灾殃
及交泰殿，自鸣钟毁于大火。此钟为嘉庆三年仿
原钟重造的大自鸣钟。

15

17

铜镀金錾花荷花缸钟
广州　乾隆时期　缸高154厘米　缸直径68厘米

Clock inlaid on a lotus pot
Guangzhou　Qianlong period
Gilded bronze　Height 154 cm　diameter 68 cm

缸体錾刻花草纹,缸的腹部嵌能报时、走时的小表,与之相对的一边的玻璃画框里有游鱼、水法景致。缸中盛开荷花,以镜表示水面,水面上画有游鱼、水草。缸中五朵荷花底部有拉杆与机芯连接,拉杆一收缩,花瓣则张开,拉杆一放松,花瓣就闭合。

此钟是用广东制的铜缸和法国制的八音机器组装而成。

18

铜镀金珐琅群仙祝寿楼阁式钟
广州　乾隆时期　高103厘米　底35厘米见方

Clock with immortals congratulating on longevity in a pavilion
Guangzhou　Qianlong period
Gilded bronze and enamel　103×35×35 cm

铜镀金蓝地金花钟座,其内放置活动玩意及音乐机械系统。正面居中有二针时钟,钟盘的两侧洞穴里有水法。底层平台上平铺水法,中心有仰起的龙头,一座重檐方楼浮在龙头喷出的水柱上。水法中心的铜柱既支撑着上边的楼阁,又是通道,底座内控制楼阁上垂帘、活动人物的机械穿过铜柱来发挥作用。楼阁正面有三个垂帘拱门,中门里有寿星,两侧门里是八仙。

在底层后面上弦,在乐声中,水法转动。帘卷起后,中门走出寿星,八仙列队由右门出,从寿星前经过,再由左门入。待寿星、八仙退进门内,帘放下。此钟造型别具匠心,犹如传说中的蓬莱仙境,寓意鲜明。

17

19

铜镀金珐琅羽人献寿钟

广州　乾隆时期　高97厘米　宽45厘米　厚38厘米

Clock with winged immortal presenting
birthday gift
Guangzhou　Qianlong period
Gilded bronze and enamel　97×45×38 cm

　　钟体遍饰珐琅和彩色料石。分三层。底层正面有三个带卷帘的拱门，中门内有一小人物背插双翅，跪地双手捧桃。两边门内有攀杠活动人物。底层左右两侧是风景油画和转动水法。中层亭内跪一手持钟锤的人，其面前摆着钟碗，逢正点时，敲击报时。上层有四个铜镀金小人半跪，手擎大花瓶，瓶正面中心为三针钟，花瓶里有花枝，两只蝴蝶停在花上。

　　启动后，中层亭内人敲击面前的钟碗奏乐，底层门上的帘子卷起，羽人向前移，到指定位置后下跪，双手掰开桃子，展现桃上的"福"、"寿"二字。左右门里攀杠人翻杠。蝴蝶振翅欲飞。

20

多宝格式插屏钟

广州　乾隆时期　高50厘米　宽47厘米　厚6厘米

Clock inlaid on a multiple-treasure shelf
Guangzhou　Qianlong period
50×47×6 cm

　　多宝格是专门陈设文玩珍宝的柜子。架上陈设有不同形状的牙雕花瓶。二针时钟在多宝格下部正中，其两侧有对开门小柜子，柜门用铜镀金錾山水人物画面板装饰。

19

21

铜镀金珐琅转花活动跑人钟
广州 乾隆时期 高80厘米 宽40厘米 厚30厘米

Clock with revolving flowers and figures
Guangzhou Qianlong period
Gilded bronze and enamel 80×40×30 cm

　　钟共分三层。底层内是音乐及活动玩意装置，正面有三朵转花，中间的一朵是麻花状玻璃柱，两边是彩色玻璃料石花；左右两侧为风景油画和跑人。中层正面为两扇可自动开合的门，门内有建筑风景画，画前有转动人物。其他三面为铜镀金嵌圆形珐琅片。上层大束转花下为二针时钟，钟上的二孔分别是走时、报时的上弦孔，钟盘周围嵌红白料石。钟背后置容镜。

　　启动后，清脆的乐声响起，下层水法、转花、跑人及顶层大束转花均随之转动。同时，中层门向左右移动，露出里面转动人物等。乐止，水法、花朵、跑人停转，门自动关闭。

22

铜镀金屋顶滚球钟
广州 乾隆时期 高90厘米 宽48厘米 厚20厘米

Clock with the decoration of rolling
 ball on the roof
Guangzhou   Qianlong period
Gilded bronze   90×48×20 cm

　　屋子正面居中有二针时钟，钟盘上方有四个方框，每个框中显示一字，恰好组成四字横幅。机芯里有一个圆盘，其上有字和花形图案，圆盘转动一下，方框便显示不同的内容，或字或花纹，共出现四次变换。横幅是"太平有象"、"八方向化"。屋顶上精心设计一组滚球玩意。中心位置上是象驮宝瓶，象的鼻子、尾巴可以摆动。在其两边各有四人，一人位于高处手持倒球瓶，一人手持瓶接球，瓶底有孔，以便玻璃球漏进机芯中。另外的二人跪地托举球滑行的轨道。钟背后有抽屉，内放玻璃球及特制的夹球夹子。

23
铜镀金翻伞转八仙钟
广州　乾隆时期　高74厘米　宽27厘米　厚19厘米

Clock with revolving Eight Immortals
Guangzhou　Qianlong period
Gilded bronze　74×27×19 cm

　　铜镀金两面钟，正面、背面都有二针钟盘。一面钟盘上方有带自动卷帘的小门，门内有攀杠活动人。另一面钟盘上方在风景画衬托下，有骑马持枪的猎人等活动人物。钟顶平台上，有一把树叶形的大伞，伞下中心是水法，围绕水法站立八仙。伞周围有骑马、骑象人物，象驮瓶，人推车等。

　　开动后，钟盘上方的攀杠人绕杠翻飞，伞在乐声中撑开，可见转动的水法及八仙。乐止，伞合拢，活动玩意结束。

24

铜镀金福禄寿三星钟
广州　乾隆时期　高89厘米　宽41厘米　厚33厘米

Clock with three celestial beings of
blessing, fortune and longevity
Guangzhou　Qianlong period
Gilded bronze　89×41×33 cm

　　钟整体铜镀金。共分三层。钟的活动玩意
控制装置和音乐装置安设在底层内。底层四面
孔洞内绘山水画，以水法象征河流，八仙在四面
循环出现。八仙是以金属片绞出形后，再以油漆
彩绘。它们固定在铜链子上，链子两端安有滑
车，开动后，链子被滑车牵引做圆周运动，人物
也就随之循环往复。二层是寓意祥瑞的景观。牙
雕福、寿、禄三星从左自右依次排开，手各持一
折，折上书"福如东海"、"寿比南山"、"万寿无
疆"。福星、禄星身旁各有各自的象征物蝙蝠和鹿。
三星身后立一瑞兽，背驮两面表，表口圈镶嵌
红黄二色料石。瑞兽身后种植松树以及以碧玺作
果实的桃树。松树树枝间立仙鹤、蝙蝠，树上各
虬盘着一条行龙，口衔水法作吐水状。顶层是容
镜，容镜背面彩绘西洋少女牧羊图。

　　此钟共有计时、音乐、活动玩意装置三套
动力系统。活动玩意装置结构精巧，不仅控制
底层的转八仙、水法，还控制中层的龙吐水、三
星开合折子。弦满开动后，在乐曲伴奏下，底层
水法转动、八仙行走；中层三星徐徐展开手中折
子，龙口中水法转动似自上而下吐水。曲终，各
种活动玩意停止。

　　此钟以装饰性为主，计时功能退居次要，
这也正是乾隆时期钟表一大特色，广州钟表也
不例外。

25

铜镀金珐琅转花鹿驮钟

广州　乾隆时期　高90厘米　宽51厘米　厚33厘米

Clock on the backs of two deer and with
decoration of revolving flowers
Guangzhou　Qianlong period
Gilded bronze and enamel　90×51×33 cm

　　共分三层，底层里面是活动玩意装置。正
面是布景箱，舞台上云朵间有一条行龙口衔水
法作吐水状，其左边立一只凤凰，右边有翻杠
人。二层正中是活动门，机械每启动一次，门自
动开关四次，里边变换塔、人、刀架等物。一、二
层左右两侧开光处镶椭圆形珐琅片，上绘花卉
蝴蝶。三层双鹿驮着三针钟，钟顶一枝转花，朵
花随花梗转动时还各自旋转。

　　启动后，下层布景箱里，龙吐水，凤凰扭动
身子展翅翩翩起舞，翻杠人在杠上上下翻动。二
层的门自动开启四次，里面随之变换物件。同
时，转柱、转花，一派祥和热烈的气氛。

26

铜镀金珐琅开花蝴蝶花盆式钟
广州　乾隆时期　高83厘米　宽36厘米　厚30厘米

Clock inlaid on a flowerpot
Guangzhou　Qianlong period
Gilded bronze and enamel　83×36×30 cm

钟分三层。底层内是音乐及活动玩意机械。底层正面转花独特，转花的中心是一朵嵌料石螺旋纹花，花的四周有放射状玻璃棒。两侧是水法布景。中层是扁平布景箱，为乡村风景，人物、动物行走其间。顶层放花盆，盆中盛开着由各色料石镶嵌而成的花朵，其中最高一朵大花的花瓣能开合，几只蝴蝶停落在花丛中。三针时钟在花盆的腹部。

玩意启动后，先奏乐，在乐声中，布景箱的水法转动似瀑布，蝴蝶振翅欲飞，花瓣渐渐张开，异形转花转动，令人眼花缭乱。乐止，一切恢复平静。

27

铜镀金黄珐琅四面盘钟
广州　乾隆时期　高110厘米　底50厘米见方

Clock with four dials
Guangzhou　Qianlong period
Gilded bronze and yellow enamel　110×50×50 cm

钟壳为黄地彩绘花卉画珐琅，纹饰有竹、菊、水仙、梅、牡丹、桃、葡萄等。四面均有表盘。正面表盘上有工匠仿写的外文字母，这种现象在民间制造的钟表上屡见不鲜，是当时的一种时尚。表盘上方有孔洞，里面有持折子红衣天官。洞两旁布置对联，对联书写在可转动的三棱状铜柱子上，柱子每转动一面，就变换不同的对联。对联共三副："国恩家庆，人寿年丰"，"物华天宝，人杰地灵"，"时和世泰，俗美风纯"。

当报时之时，活动玩意启动，在乐声中，对联变换，天官双手上下移动，展开折子，可见上书"天官赐福"。

28

铜镀金仙猿献寿麒麟驮钟
广州　乾隆时期　高100厘米　宽40厘米　厚41厘米

Clock on the back of *kylin* and with
the decoration of immortal monkeys
presenting birthday gifts
Guangzhou　Qianlong period
Gilded bronze　100×40×41 cm

钟整体铜镀金，由上、中、下三层组成。上层立一祥瑞动物麒麟。麒麟背负三针时钟，钟盘周圈饰以红色料石镶嵌而成的火焰纹。钟盘上方撑有伞盖，伞上点缀有绿料石作花心的红色料石花，伞边悬挂红料石缀子。中层正面似一舞台，台口上方及左右两侧挂有幕布。台上有挂卷帘的拱门，门两侧各跪一捧桃赤面仙猿，门内站立有一只猿手捧仙桃。中层四角各有龙喷水柱。底层内放置乐箱及机械控制装置。正面中央有周围嵌红料石的圆形开光，开光四角均布置蝙蝠，蝙蝠眼睛、身子、翅膀分别由绿、黄、红色料石组成。开光内是一大朵既可旋转又能前后移动的料石花，花以红料石为花心，由红、黄、白、绿等色料石镶嵌而成。开光左右两侧是錾刻溪水、小桥、树木等的镂空铜板，铜板背后安有水法柱。

此钟由弦孔上弦后，在乐声伴奏下，伞盖转动，麒麟左右摇头。中层的卷帘上升，仙猿走出拱门，向前探身下跪，双手前捧掰开仙桃，与此同时小猿也上下挪动胳膊做献桃状。四角由龙口而出的水法柱转动，好似龙喷水。底层正面转花由后往前移动，到既定的位置后停止。完成动作后，猿慢慢直起身子退回拱门，卷帘放下，转花倒退回原位，伞盖停转，乐止，所有活动装置静止。

此钟的独特之处在于底层既能旋转，又可前后移动转花，这在故宫所藏的钟表里是独一无二的。

26

27

28

29

铜镀金卷帘白猿献寿钟

广州 乾隆时期 高104厘米 宽64厘米 厚29厘米

Clock with the decoration of white monkeys presenting birthday gifts

Guangzhou Qianlong period
Gilded bronze and enamel 104×64×29 cm

钟体上嵌绿、蓝色珐琅。钟分三层。底层为三针钟，钟盘周围饰红色料石，钟盘下方布景箱上挂丝织卷帘，帘上绘山水风景，帘内是一组活动景观。景观里布置着三只跪在地上的白猿，中间大猿手捧的盘中盛放仙桃，左右两只小猿所捧盘中分别放着珍珠和红珊瑚。大猿身后还有一卷帘，帘内树木葱郁，林间有可活动的小鸟。中层正面是三朵可旋转的料石花，中间大朵花由红、白料石镶嵌而成，左右两小朵花由红、蓝、黄三色料石组成。顶部是六角亭，亭中心有可旋转的烧蓝瓶，瓶腹部安放有四个镶嵌红、白料石的转盘。围绕烧蓝瓶的是一圈安装在转盘上的献宝人物，其中既有手捧物品的金发西洋人，又有驮着宝瓶的白马等。

启动弦钮后，乐曲声响起，布景箱上的卷帘和猿身后卷帘同时徐徐升起，三猿胳膊被机械控制系统的金属丝牵引，举起手中所捧盘子做奉献状。林间小鸟鸣叫边摆动身体。中层转花、上层瓶子、转盘、献宝人等也在乐曲声中转动。三猿完成进献动作后，帘子徐徐下降，转花等活动玩意及音乐也渐渐停止。

以白猿献寿为题材是广州钟表的特色之一，此类钟表多是臣工在帝后寿辰之时进献的。

30

铜镀金珐琅双鹿驮钟

广州 乾隆时期 高92厘米 宽38厘米 厚31厘米

Clock on the backs of two deer

Guangzhou Qianlong period
Gilded bronze and enamel 92×38×31 cm

共有四层，底层及二层正面是城市、乡村风光布景箱，景前有活动人物。三层正面的料石花不仅花瓣可以变换四种形状，还能变化红、黄、蓝、绿四种颜色。三层四角的珐琅柱能转动。计时部分在顶层，双鹿驮时钟，两只鹿之间有水法柱，水法柱受底层机械控制，并与顶端瓶中的转花相连，带动其转动。

此钟机械结构的精巧值得一提，从底层至顶层均有活动玩意，这些活动玩意之间的动作具有联动性，对制作的要求较高。花瓣形状、颜色发生变化，是在每朵花瓣上各装有小轮，用伞轮来推动它，并由闸来控制，凡花一变，就过一闸。

31

铜镀金珐琅转花亭式钟

广州 乾隆时期 高101厘米 宽43厘米 厚29厘米

Clock with the decoration of pavilion and revolving flowers

Guangzhou Qianlong period
Gilded bronze and enamel 101×43×29 cm

钟分三层。底层内是机械装置，正面是舞台布景，背景是水法玻璃柱，台面铺轨道，一扶杖人站在当中，两边各跪一人，手持瓶，瓶口对准轨道，轨道尽头有洞口。二层拱门内有珐琅面板，白珐琅钟盘居中间。钟盘上方有料石转花一朵。第三层是八角亭，亭内有宝塔，塔边围绕有象驮瓶、马驮塔、吹喇叭人等组成的队伍。

在底层背面上弦启动后，花旋转，水法流动，塔旁队伍转动。底层瀑布前表演滚球，球从瓶中倒出，落在轨道上，沿轨道滚下，进入洞口，如此往复。

29

30

31

32

铜镀金珐琅倒球卷帘转人钟

广州　乾隆时期　高104厘米　宽39厘米　厚31厘米

Clock mounted on tower and with the
decoration
of rolling ball

Guangzhou　Qianlong period
Gilded bronze and enamel　104×39×31 cm

钟通体铜镀金蓝地金花广珐琅。钟分三层。底层正面镂空背景中有转动水法和建筑画，中间站立一牙雕执杖人，两端各跪一人，手持小瓶，两瓶口间铺有弯曲的轨道。中层正面是彩绘欧洲田园风光的丝织帘子，帘子上端穿在一横杆上，横杆的两端有齿轮与传动系相连。启动后，杆两端齿轮被拨动，带动帘子渐渐卷起，卷到顶后，停顿一定时间，帘又下落，曲终，帘恢复原位。帘内有马驮瓶、象驮塔等献宝人物及翻单杠杂技表演。它们固定在一个转盘上，在齿轮驱动下转动。中层的四角珐琅柱和花朵也可转动。上层是三针时钟，钟顶及四角料石花均能转动。

此钟音乐和活动玩意装置安装在底层内。启动后，伴随乐声，铜球由左边瓶口倒出，沿脚下轨道滚进右边瓶内后落入钟瓢内。钟瓢中装有带套筒的麻花轴，转动的麻花轴把球又搅入到左瓶中，由瓶口倒出，周而复始，球不断滚动。中间持杖人头左右摇摆，似在欣赏表演。同时，中间帘卷起，献宝人转动，翻杠人在杠上表演、珐琅柱、角花、顶花等随之转动。

此钟制作精细，尤其是活动机械装置部分对机械制作要求很高。

33

铜镀金珐琅亭式内有升降塔钟

广州　乾隆时期　高108厘米　宽44厘米　厚38厘米

Clock with the decoration of tower and an
elevating pagoda in its center

Guangzhou　Qianlong period
Gilded bronze and enamel　108×44×38 cm

共分三层。底层内安放音乐及活动玩意装置。底层正面居中有三针时钟。钟盘两侧拱门内均有可转动的捧花篮双童子，左右两侧面布景箱内平铺水法玻璃棒。二层门内有可升降铜镀金九层佛塔一座，塔旁左右两旁各有插翅羽人，合手作叩拜状。二层及上层平台四角均有转花。上层亭子门内有一人手持折联。

在底层后面上弦，在乐声中，捧花篮的童子原地转圈；佛塔逐层升起，又渐渐落下降；羽人拜塔；持折人移动出门，到指定位置后站立，打开折子，折上书"千秋永固"四字；四角转花随之转动。乐止，塔落至原位，持折人退回门内，转花、童子停转。

升降塔形式的钟表在近代机械钟表中并不鲜见，但这件在演示塔升降的同时，还伴随有其他复杂活动玩意的钟表实属难得，体现了广州钟表的高超水平。

32

34

铜镀金珐琅葫芦顶渔樵耕读钟
广州 乾隆时期 高87厘米 宽46厘米 厚38厘米

Clock with the decoration of gourd and
design of fisherman, woodcutter, farmer
and scholar
Guangzhou　Qianlong period
Gilded bronze and enamel　87×46×38 cm

钟共分三层。以四只铜镀金山羊为足。底
层正面为渔樵耕读图,渔翁在池边垂钓,樵夫
砍柴归来经过山洞,农夫扶犁耕地,仕人在亭
中读书。底层左右两侧有象征河流的水法,鸭
子在其中游弋。中层正面是二针时钟,钟盘周
围放射性光环上饰彩色料石。上层一铜镀金嵌
珐琅葫芦,葫芦上饰六个不同字体的金色"寿"
字及八宝纹饰。葫芦下腹部红料石框里是写着
"大吉"二字的两扇活动门,门内有一组转动人
物。此钟音乐、活动玩意装置在底层,计时装置
在中层,可以分别启动。

活动玩意装置开动后,在乐曲声中,底层
两侧水法转动似流水,鸭子循环游动。正面渔翁
上下挥动渔竿,樵夫肩扛柴,农夫手扶犁在洞口
出入,仕人挥扇。同时,中层大吉门自开,里边
人物转动。

此钟以发条、塔轮和链条为动力源,充分
利用机械联动作用,使活动玩意装置协调运作,
说明广钟的制作已达到较高的水平。

35

铜镀金珐琅升降塔钟
广州 乾隆时期 高111厘米 底47厘米见方

Clock with elevating pagoda
Guangzhou　Qianlong period
Gilded bronze and enamel　111×47×47 cm

珐琅方形底座,八角形塔体通身镀金。塔
高七层,每层四面均有龛门。下层龛内设四尊牙
雕佛像,其他各层龛门上有彩绘寿星、仙猿、八
仙等。二针时钟在珐琅塔基座的正面,钟盘上的
两个弦孔,一个负责走时,另一个负责报时。左
侧油画是仕女图,右侧是仙鹤、寿星图。塔座四
角莲叶上各立彩色牙雕童子作恭揖状。座基中
有牵动塔升降、音乐及童子揖拜的机械系统。

在基座后面上弦后,在乐声中,机芯内链条
被绞起,与链条相连的桯子随即升起,支撑塔从
顶层开始,上面五层逐层升起,到一定高度,停留
片刻,然后因塔身重量的压迫,塔又从底层开始
逐层降下。同时童子弯腰揖拜。弦松弛后,乐止,
塔降至初始高度,童子站立不动。

34

35

36

铜镀金珐琅楼攀杠人钟
广州　乾隆时期　高97厘米　宽40厘米　厚32厘米

Clock inlaid on a tower
Guangzhou　Qianlong period
Gilded bronze and enamel　97×40×32 cm

　　钟体铜镀金饰蓝地金花珐琅。钟分三层，底层内安放音乐及活动玩意装置。底层正面自然风景前有散步行人，左右两面是自然风光油画。中层正面是白珐琅钟盘，钟盘上方的拱门内有攀杠人。三层拱门内站立一人手持锤子，逢正点时敲击头顶悬挂的铜钟报时。顶端立葫芦瓶，瓶上下腹部各有料石转花。二层、三层的四角各有转柱及转花。此钟报时系统与活动玩意装置相连，报时后，转柱、转花联动。

37

铜镀金倒球葫芦式钟
广州　乾隆时期　高99厘米　宽40厘米　厚36厘米

Clock with the decoration of gourd and
rolling ball
Guangzhou　Qianlong period
Gilded bronze and enamel　99×40×36 cm

　　钟通体饰不多见的绿地金花珐琅。分三层，底层内安放音乐及活动玩意装置。白珐琅钟盘居于底层正面中间，其两边拱门内有竖立的水法玻璃柱。底层左右两面是金钱纹镂空板。中层正面垂帘，帘卷起后，可见其内景观。景观以攀杠人为中心，其周围有人、鹿、马、象组成的献宝队列围绕。在二层平台的两侧，一前一后分别跪着两人，后边的持瓶，前边的握鱼，从瓶口到鱼嘴间铺有轨道。上层立葫芦式瓶，瓶上下腹部各有一朵料石花，瓶中插大束转花。

　　在底层背面上弦后，在乐声中，底层水法柱转动似喷泉。中层垂帘卷起，攀杠人翻飞表演，献宝队列前行。小铜球从瓶口而出，沿轨道滑入鱼嘴，落进机芯内装有套筒的麻花轴，麻花轴转动把球送入瓶中。球再次从瓶口倒入轨道，循环往复。

36

38

铜镀金跑鸭转人亭式钟

广州 乾隆时期 高110厘米 宽59厘米 厚51厘米

Clock with the decoration of pavilion,
swimming ducks and revolving figures

Guangzhou　Qianlong period
Gilded bronze　110×59×51 cm

　　钟造型为铜镀金二层楼阁式。下层正面錾
花板上点缀料石花。钟盘上三个弦孔，分别负
责走时、报时、报刻。右下角的小盘是星期盘，
指针每天走一格，七天转一周。左下角的小盘
是乐曲盘，调整指针即可变换不同乐曲。表盘上
方布景台，布置有小桥、流水、凫水鸭子的乡村
风光。上层正面门内有两位牙雕献宝人，一人捧
塔、一人捧佛手。阁外栏杆里有一圈外番模样的
转人。

39

铜镀金自开门寿星葫芦式钟
广州 乾隆时期 高84厘米 宽41厘米 厚32厘米

Clock inlaid on gourd and with the
decoration of God of Longevity behind
automatic door

Guangzhou　Qianlong period
Gilded bronze and enamel　84×41×32 cm

　　钟通体饰蓝底金花广珐琅。在椭圆形底座
内安设机械装置，其正面彩绘风景，中间有两扇
活动门。门内有扶杖而立的寿星。两侧面为水法
布景。底座上突起珐琅平台，台上平铺水法，四
角有转花。中心竖立葫芦式扁瓶，瓶下腹有二针
时钟，上腹有料石转花。活动机械装置的上弦孔
在底座背面。

　　启动后，奏乐，门开启，寿星扶杖左右晃
动，灵芝仙草、仙鹤、鹿、佛手等从两旁移至中
间，寓意福禄长寿。平台上水法转动，如波涛四
起，葫芦瓶似在水中漂动，寓意四海升平。此钟
寓意深刻，是具有浓厚中国传统思维的艺术佳
作。

40

紫檀框群仙祝寿插屏钟
广州 乾隆时期 高134厘米 宽111厘米 厚27厘米

Clock with the decoration of immortals at
birthday celebration

Guangzhou　Qianlong period
Zitan wood and gilded bronze　134×111×27 cm

　　此钟为插屏式。边框是紫檀木嵌银丝，镂
空铜镀金蕃莲花上嵌各色料石，组成万寿菊花，
衬以蓝色玻璃，具有浓郁的广东特色。屏心以
铜镀金为底，松、橘两树拔地而起，以青玉、孔
雀石、青金石作坡石，上置染牙楼亭，中间架珠
桥，八仙走动其上。这是描写蓬莱仙景的图景。
底座中间是三套二针白珐琅盘钟。两侧绘以西
洋风景人物画，周围是铜镀金欧式花卉。座内是
乐箱。

　　此钟是广东官员送给皇帝万寿的礼品。

39

41

铜镀金珐琅转柱太平有象钟
广州　乾隆时期　高85厘米　宽40厘米　厚33厘米

Clock inlaid on tower and with the decoration
of revolving pillars and elephant with
a vase on its back, symbolizing peace

Guangzhou　Qianlong period
Gilded bronze and enamel　85×40×33 cm

　　钟通体饰蓝地金花广珐琅，钟体为四层楼式。楼顶和各层四角花瓶中均有转动的花束。底层里是机械装置。正面有三朵料石转花，两侧面有布景箱，箱里为乡村风景布景，景前有活动人物。二层为平台，正面有三朵转花。三层、四层建筑旁柱子都能转动。三层正面有二针时钟，钟在背面上弦。四层正面拱门内是一驮花瓶的银象，象驮宝瓶是吉祥图案，寓意太平有象。

　　在底层后面上弦后，在乐曲声中，转花、转柱，象作表演，鼻子、尾巴摆动。

42

铜镀金珐琅开花变字转花瓶式钟
广州　乾隆时期　高83厘米　宽30厘米　厚22厘米

Clock with flowers in a vase

Guangzhou　Qianlong period
Gilded bronze and enamel　83×30×22 cm

　　共分三层。底层内置机械装置。正面居中为三针时钟，钟盘左右各有一朵料石转花。顶部平台四角有瓶花。中间凸起一台，为二层。台正面有四字横幅，横幅上的字迹内容可变换四次，分别为"喜报长春"、"福与天齐"、"福禄万年"、"太平共乐"。二层顶竖一双耳扁瓶，瓶腹嵌料石变色转花，花不但能变红、绿、黄、蓝四色，花形也随之变换四种。瓶中插一花树，顶花可开合，花心落一只蝴蝶。

　　上弦启动后，在乐声中转花、开花、变字幅，循序进行，具有很高的艺术水平。

43

铜镀金自开门喷球五子夺莲钟
广州　乾隆时期　高99厘米　宽45厘米　厚35厘米

Clock with the design of five sons fighting
for lotus

Guangzhou　Qianlong period
Gilded bronze　99×45×35 cm

　　钟通体铜镀金錾刻精细纹饰。共分三层。底层内是机械装置。正面中央是寓意多子的吉祥图案五子夺莲，一童子手握莲蓬站在荷花缸中，其身旁另外四个童子做夺莲状。五子夺莲图两侧是可变换两次的四字对联，一幅是"雨顺风调，时和世泰"；另一幅是"八方向化，万国咸宁"。有两扇红漆门的建筑为钟的中层。门上端用铜活做出券门形状，门左右侧錾刻西洋风格柱子，门在机械联动作用下可自动开启。门内有条扬头张嘴的盘龙，龙头被罩在一喇叭形玻璃罩中，罩里有一红色小球。活动玩意装置上弦后，机芯中的一个气囊渐渐冲入空气，气囊另一端有排气孔与龙嘴相通，从龙嘴中释放出来的气体冲击小红球，使之漂浮。由于气囊放出气体强弱不定，小球漂浮也就忽上忽下，直到弦松弛，气体不再补充，球也随之跌落。连接底层和中层是一个平台，平台四周有彩色伞状料石花，正面有三朵铜镶彩色料石转花。双鹿驮三针时钟在顶层，钟顶插伞状彩色料石花。

　　在底层背面上弦后，乐起，对联转换，转花及所有伞状花旋转，两扇红门自开，盘龙表演喷球。

　　此钟变动机械装置复杂，特别是龙吐球部分设计尤为精巧，是广钟中的珍品。

41

42

43

44

铜镀金珐琅三人献寿钟

广州　乾隆时期　高100厘米　宽45厘米　厚32厘米

Clock with the decoration of three figures presenting birthday gifts
Guangzhou　Qianlong period
Gilded bronze and enamel　100×45×32 cm

　　由四只山羊驮起。钟分三层。底层正面布置景观，景观正中站立人手持字联，联上写"万寿无疆"，左右各跪一人手捧桃盘，人身前或站或卧三只银色羊，寓意三羊开泰。底层两侧面安设放射形水法玻璃柱。中层方形阁通体錾卷草花纹，嵌红、绿料石。阁前挂卷帘，帘卷起后可见内部左右各有一串钟碗，一人双手持锤坐在钟碗后面，按时敲击奏乐。左右两侧面在密林间有水法瀑布。计时部分在顶层，时钟顶端杯中插转菠萝花。承托钟的支架间布置水法，架座周围有绕座旋转的牙雕献宝人。

　　每逢整点时，帘卷起，敲钟碗人敲钟碗报时并奏出清脆乐声；持联人打开字联展示上面的内容，捧桃盘人向前躬身作献桃状。各层的水法、菠萝形花随之转动。

45

铜镀金珐琅福寿楹联钟

广州　乾隆时期　高112厘米　宽41厘米　厚33厘米

Clock with the couplets of blessing and longevity
Guangzhou　Qianlong period
Gilded bronze and enamel　112×41×33 cm

　　底层是乐箱。底层正面是景观，居中立一人手持字联。其周围有一圈献宝人队伍。此外景观中还布置有吉祥寓意的景物，如灵芝上振翅的蝙蝠、鹿、捧桃的仙猿等。景观的两旁布置对联，对联书写在可转动的三棱状铜柱子上，柱子每转动一面，就变换不同的内容。柱上为"吉祥观有象，音韵彻无边"，"胜地风云好，春台喜庆多"两幅对联和一人跪地双手托举宝塔的画联。椭圆形二层正面布景箱内是城市风景油画，有活动人物在其间。其余几面被水法环绕。二层平台上平铺水法，中间立扁葫芦瓶。瓶下腹部嵌时钟，上腹部有料石花，瓶中插大束花。

　　在底层后面上弦启动，乐起，持联人展示联上"福寿齐天"四字，其周围的献宝队伍出入门内，灵芝上的蝙蝠振翅，字联转换。二层布景前人物行走，侧面水法转动似瀑布飞流直下，平台上水法转动似波涛。弦松弛后，乐止，活动玩意停止表演。

44

45

46

铜镀金葫芦式转花钟

广州　乾隆时期　高86厘米　宽34厘米　厚30厘米

**Clock with the decoration of gourd and
revolving flowers**

Guangzhou　Qianlong period
Gilded bronze　86×34×30 cm

　　钟通体镀金饰卷草花纹。共分三层。底层里
放置活动玩意及音乐机械系统。底层正面排列三
个拱门，正中的两扇红门可自动开启，门内有一
圈牙雕献宝人队伍，左右门内有竖立的水法玻璃
柱。钟的计时部分在二层。底层及二层平台的四
角均放置插转花的花瓶。顶层立葫芦瓶，其上、
下腹部各有一朵料石花。乐箱及活动玩意装置的
上弦孔在底层背面。

　　起动后，乐声响起，底层正面的门向左右
移动后打开，献宝人队伍转圈，水法转动似喷
泉，葫芦瓶腹部的料石花转动。随着弦松弛，乐
止，活动玩意恢复静态，门自闭。

47

紫檀嵌螺钿群仙祝寿钟

广州　清晚期　高85厘米　宽48厘米　厚24厘米

**Clock with the decoration of immortals
congratulating on longevity**

Guangzhou　Late Qing Dynasty
Zitan wood and mother-of-pearl　85×48×24 cm

　　钟体框架为紫檀木，正面木面上镶嵌螺钿
花纹。花纹多样，有万代葫芦、团寿、葡萄、梅竹
等，寓意多子、多福、多寿。钟盘上方有景观，设
三券门，中间门楣上书"圣寿无疆"，两边门楣上
分别书写"尧天"、"舜日"。中门内立寿星，一手
持杖，一手托佛手。门外两侧分立两人，各牵一
象，象背负瓶及插花。

　　当活动机械开动时，寿星持杖的手臂上下
移动，门外两人各一手臂摆动。

46

47

48

双童托紫檀多宝格表

清宫做钟处　乾隆时期　高66厘米　宽60厘米　厚30厘米

Watch mounted on a multiple-treasure screen held by two boys

Imperial Clock Workshop　Qianlong period
Zitan wood　66×60×30 cm

　　底座上紫檀木板上升起一簇云朵，云朵上置漆画玻璃门紫檀柜，两个身为珐琅质、头是牙质的童子，双手托着柜子。打开柜门，其内是摆放珍玩的多宝格。二针钟表在柜顶，机芯内刻有"Geo.Beefield London"铭文。此钟柜体是清宫造办处作品，而表是伦敦所造，是一件中西合璧的钟表。

　　与此件式样相同的钟表故宫博物院还有三四件，从其他几件可以判断这件钟表是有缺损的，它应有一个紫檀木长方形委角须弥座，座高10厘米左右，束腰处及围栏上镶嵌珐琅。

英国钟表

恽丽梅

故宫博物院现存钟表千余件，以英国钟表数量最为丰富，工艺最为精致，转动玩意最为奇巧。18世纪，英国在钟表制作中已用机器代替手工操作，所生产的钟表有很强的市场竞争力。此时清朝也处于鼎盛时期，经济繁荣、社会稳定。乾隆皇帝对奢侈豪华生活的追求，使得粤海关监督等官员不断花费巨额银两，向英国购买或定做钟表，中国成为进口英国钟表的主要国家。

英国是制造机械钟表较早的国家之一。英国沙士堡教堂(Salisbury Cathedral)内1386年制造的大钟至今仍存于世。17世纪英国有一些著名的钟表制造者，他们为钟表制造做出了贡献。1644年英国科学家罗伯特·虎克(Robert Hooke)发明了钟表游丝。工字擒纵器也是英国人首创的，但在英国却受到冷遇，后来在法国和瑞士大受欢迎[1]。

1715年，英国钟表匠格雷厄姆发明了用于摆钟的摩擦间歇式擒纵机构。同年，他还发明了水银补偿摆。1759年马奇发明的锚形擒纵机械，直到今天仍为许多机械表所采用。1735年，钟表匠约翰·哈里森花费8年时间发明了第一台航海天文钟，1763年又制作了与以前完全不同的航海钟H4(第四度空间)，成功解决了航船上如何得知格林威治时间的问题。1760年至1765年詹姆斯·考克斯发明了一座水银瓶装置的气压钟，使弦的松紧通过气压的升降来调整，被誉为永远运行钟。威廉森出身于著名的钟表世家，其祖父是安妮女王时期著名钟表师。威廉森发明了走时最准确的天文时钟以及标明日期、星期的日历钟。

随着机械钟表制造业的迅猛发展，对钟表零件的品质要求

也越来越高。"1740年，钟表制造师本杰明·亨茨曼由于在市场上找不到制造高级发条的合适材料，遂在谢菲尔德开设了一爿钢厂，经过长期(10年)努力终于取得成功"。"18世纪中期英国在铸件生产上处世界领先地位"[2]。仅伦敦一地先后有几十家制造钟表的工场。

清朝皇帝、王公百官、富豪巨商对千姿百态，绚丽多彩的钟表羡慕不已，不惜代价寻觅搜购。因此，钟表大量进入中国。清宫英国钟表主要通过外国使节礼品馈赠和海外贸易等途径传入我国。

乾隆二十五年(1760年)，英使赠送乾隆帝八角绿珐琅镀金表、铜镀金象驮表、音乐钟、铜镀金洋人打钟。乾隆四十五年，英使赠送乾隆帝带罩镀金座钟以及一些精美绝伦的小怀表，皇帝十分欢心[3]。特别是乾隆五十八年，英国马戛尔尼使团来华，赠送乾隆帝一对精美的钻石钟表，致使80多岁的老皇帝异常兴奋。

英国钟表更源源不断地由广州海关输入中国，进献给皇帝或作为商品销售。从乾隆年间广州海关给朝廷的贡品单中看，有不少带"洋"字的钟表，例如，乾隆四十六至四十九年，每年由广州海关监督等官员进贡给皇帝的洋钟表都在130件以上。又据乾隆五十六年一份关于海关的文件中称，这一年由海关进口的大小自鸣钟、时辰表及嵌表鼻烟盒等项共1 025件，可见当年进口数量之多[4]。据《东印度公司对华贸易编年史》载:1793年给皇上进贡钟表及机器玩具等花费10万两;1796年进贡钟表等花费10万两;1805年贡送北京大臣礼物之钟表花费15万两;1806

[1] 张心康:《古表》，台北星岛出版社，1989年。

[2] (英)亚·沃尔夫著，周昌忠诚等译:《18世纪科学、技术和哲学史》下册第 760页，商务印书馆，1997年。

[3] 朱培初:《清代宫廷的英国钟表》，《紫禁城》1983年第1期。

[4] 陆燕贞:《钟表鉴赏与收藏》，吉林科学技术出版社，1994年。

年贡送北京大臣礼物之钟表花费20万两。我们从现有的乾隆朝海关及各地官员历年贡品单中，不完全统计进贡的钟表约2 700余件，其中大量是英国钟。

马戛尔尼在其所写的《观察报告》中说："在我所见到的四五十个宫殿，特别是在妇女的房间内，竟意外地发现了他们所陈列、收藏的伦敦制造的钟表特别丰富。"他还谈到，中国官员千方百计地向他们讨要钟表，"以至于我所带的十余件钟表，都不敷用"。当时一些达官显贵的寓所已普遍使用了钟表，有些官员在腰带上佩戴怀表，以钟表计时上朝、退朝。

故宫博物院所藏英国钟表，部分注明作者名字、产地及年代。在钟盘或后夹板上，常注有LONDON字样。钟表上的署名以James Cox（詹姆斯·考克斯）、Willamson（威廉森）最多，其次是Barbot（巴伯特）、Benjamin Ward（本杰明·沃德）等。还有一些钟表没有署名，但也很精致。

故宫博物院藏英国钟表，造型美观、工艺精致、色彩华丽、题材广泛，多以中国古典建筑形式的亭台楼阁为造型，间有欧式建筑造型。钟内设有人物、动物转动景观，并以大自然及田园风光为背景。外壳采用铜镀金者居多，也有的镶以玳瑁、玛瑙或蓝珐琅等物；镀金表面有明暗光泽之分，展现出丰富的层次感。展品中，铜镀金象拉战车乐钟和铜镀金写字人钟是英国钟表颇具代表性的两件精品。它们既是实用的计时工具，又是工艺美术品和娱乐赏玩品。

英国钟内部结构复杂，由多盘发条先后启动，带动几套机械传动，因此能在几个层面上分别或同时完成许多机械表演的复杂动作。自动音乐钟表，每逢击钟报时，还能发出悦耳动听的音乐。这些自鸣钟因此成为清代帝王、后妃宫眷们最为喜爱的玩物。

British Timepieces

By Yun Limei

There are more than a thousand timepieces in the Palace Museum, and the British timepieces are noted for the largest number, the most exquisite workmanship, and the most elaborate designs. As early as the eighteenth century, mechanization had taken place of handicraft in manufacturing timepieces in Britain. The Qing dynasty was then at its prime, with a prosperous economy, stable society, and frequent foreign communications. British timepieces came to the Qing Palace mainly through gifts presented by diplomatic envoys and through overseas trade.

In 1760, a British envoy presented tributes of octagonal green enamel and gilded watch, gilded bronze watch carried by elephant, music clock and gilded bronze chime clock to the Qianlong Emperor. In 1780, a British envoy paid tribute with covered gilded timepiece and several exquisite pocket watches. In 1793, the Macartney Mission presented the Qianlong Emperor with a pair of exquisite diamond clocks, which excited the emperor.

British timepieces were continuously imported into China through Guangzhou Customs, to pay tribute to the emperor or to be sold as commodities. In the list of tribute articles given by Guangzhou Customs to the royal court in the Qianlong period, there were many imported from abroad. For example, from 1781 to 1784, there were more than 130 foreign timepieces sent as tribute to the Emperor by Guangzhou Customs. According to a customs document of 1791, there were altogether 1,025 items of chime clocks, watches, and watch-inlaid snuffboxes imported from the Customs that year. According to a record in "*Chronicle of East India Company's Trade with China*," 100,000 taels of silver were spent on tribute clocks, watches, and mechanical devices in 1793; 100,000 taels of silver were spent for tribute timepieces in 1796; 150,000 taels of silver were spent in buying presents of timepieces for high officials in Beijing in 1805; 200,000 taels of silver were spent in buying timepieces for high officials in Beijing in 1806. The rough statistical figure of timepieces paid as tribute by various customs and local officials during the Qianlong period was about 2,700, and most of them were British clocks.

Some of the timepieces in the Palace Museum have labels with the names of the producer, place, and date of production. On the clock dial or the rear panel, there is always the label "London." Most of the signatures on the clocks are James Cox, Timothy Williamson, and some are Barbot and Benjamin Ward. Although some timepieces have no signatures, they look exquisite.

The British timepieces treasured in the Palace are characterized by beautiful shapes, exquisite workmanship, magnificent colors, and a wide variety of subjects. Most of them are in the form of classic Chinese architecture, especially pavilions, while some take their shapes from European architecture. Scenes with figures and animals are juxtaposed against natural sights. Most of the watchcases are gilded bronze, and some are inlaid with hawksbill, agate, or blue enamels. The gilded surface had different shades of colors with a rich sense of depth. They were practical time-telling tools, as well as beautifully crafted objects to enjoy and appreciate.

49
铜镀金象拉战车钟
英国　18世纪　高70厘米　宽136厘米　厚55厘米

Clock with the decoration of
elephant pulling a chariot
Britain　Eighteenth century
Gilded bronze　70×136×55 cm

　　此钟造型是一只健硕的大象拉着四轮战车，战车与象背上共载官兵11人。象及车身为铜镀金嵌彩色料石。

　　钟内发条共6盘，包括启动战车活动的4套和钟走时打点的2套。象腹内的发条，能使象眼转动，以及象之鼻、尾摆动。象腹下一固定轮子，确定战车前进方向。战车前部有一铜筒，上置鼓、号及兵器，筒内发条带动筒下车轮转动，这是战车启动的惟一动力源。铜筒后面的方箱，内有发条，控制方箱上指挥官的转身动作。车后部的车厢是乐箱，内有控制奏乐和车轮转动的机械装置，车下有两轮。上弦分别在象腹、铜筒、方箱、乐箱处。战车沿弧形轨迹行驶，象及人物动作均同时进行。

50

铜镀金雄鸡动物楼阁式钟
英国　18世纪　高244厘米　宽102厘米　厚90厘米

Clock with pavilion and chanticleer
Britain　Eighteenth century
Gilded bronze　244×102×90 cm

　　钟由底座和钟体两部分组成。底座为凉亭式，亭的四柱是绿叶茂盛的棕榈树，内立有铜镀金雄鸡。钟体造型为楼阁式，楼阁建在山石上，山石下平铺玻璃镜，以示水面。山石间分布的水法柱表示瀑布。楼阁正面中央嵌有二针小表，楼阁后面门内有一放大镜，能透视内部的花园景致以及山涧的瀑布。楼顶是能升降的小塔。

　　此钟控制音乐、水法、塔升降的机械在楼阁底部。乐起，山石间水法转动似瀑布，楼顶塔重复升降。这是詹姆斯·考克斯（James Cox）制造的大型钟表精品之一。

51

铜镀金绶带鸟人物牵马钟
英国　18世纪　高238厘米　宽114厘米　厚71厘米

Clock with paradise flycatcher and figure
leading a horse
Britain　Eighteenth century
Gilded bronze　238×114×71 cm

　　由上下两部分组合而成。下部为底座，近似方形，四角以高大、粗壮的铜镀金棕榈树为主柱，托起一方形平面。底座下部置假山石，四只夔龙布列其间，山石正中高处立有一羽毛华丽的绶带鸟。底座顶部悬挂一铜镀金卷叶与玻璃花组成的吊环，上栖一只口衔料石花的铜镀金鹦鹉。方形平面上为一镶嵌彩色料石的铜镀金帐幔，帐顶为彩色料石拼合的宝星花，帐内衬玻璃镜以形成双重影象。幔帐所罩的乐箱上有一骑士手牵骏马，马披彩色料石镶嵌花纹的鞍，其上置小表一块。马身旁植有棕榈树一株。乐箱正面布景为海滨风景画，有忙碌的人们与远去的帆船。机械装置在乐箱内部。

　　启动机械，于整点报时，乐声响起，布景人行船航，帐幔上宝星花转动。这件钟表由海关采买贡进宫廷，应是1769～1781年英国的钟表匠詹姆斯·考克斯制造。

50

51

52

铜镀金转人亭式钟
英国　18世纪　高117厘米　底84厘米见方

Clock mounted in pavilion and with the
decoration of revolving figures
Britain　Eighteenth century
Gilded bronze　117×84×84 cm

　　钟底座为木制，上铺红色丝绒，四角各站
有翼龙。座上堆山石，石上矗立四层亭子。一层
为乐箱，内装音乐及活动玩意装置，正面洞穴内
有一圈活动人物。二层中间台子上有一挎刀指
挥官，其周围站五名士兵。三层是计时部分，四
角立鹤，四柱盘龙，正面中央为二针白色瓷盘，
瓷盘上两孔左边是打点上弦孔，右边是走时上
弦孔。钟盘口圈嵌白色料石放射状花。四层四角
亦立龙，中间为宝瓶，瓶腹部装有风轮。上顶有
一圆球托飞鹰。

　　启动后，在乐声中，二层的士兵围绕指挥
官旋转，一层的活动人物，四层宝瓶腹部风轮
及顶部托飞鹰的圆球也同时转动。

53

铜镀金人指时刻分钟
英国　18世纪　高140厘米　宽60厘米　厚50厘米

Timepiece with figures giving the hour, quarter and minute
Britain　Eighteenth century
Gilded bronze　140×60×50 cm

钟体用卷草花柱支撑，共分四层。底层为乐箱，正中有一玻璃窗，内有水法、跑人及风景画；后面有三个盘，中间是走时盘，左右侧分别为阴历、阳历盘。二层平台中心有七龙喷水景观；平台前部三个圆台上平置三个钟盘，分别为时、分、秒盘，每个钟盘中心各立一持杆人，其手中所持杆实际上起指针作用；平台后部中间坐着持枪的猎人，眼左右巡视，其左右两旁的两个圆台立跳舞人。三层平台中心为四鱼吐水景观，四角镀金伞盖里装有钟碗，伞下各有一人，前面二人手持钟锤，后面二人作舞蹈状。四层亭内有一敲钟人。钟顶端置一吹号手。此钟走时部分在一层、二层，报时、刻部分在三层、四层。

上弦后，钟盘上所站的持杆人各自按固定速度旋转，其中秒针盘上的人转得最快。每逢刻，三层平台前面的敲钟人敲击钟碗报刻，后面二人随之转动。每逢正点，四层敲钟人，持锤报时。活动玩意机器开动，底层跑人前行，各层的水法喷水，顶端吹号手转动。由伦敦William Vale制造。

54

铜镀金嵌珐琅祥禽报瑞钟
英国　18世纪　高108厘米　宽53厘米　厚66厘米

Clock with the decoration of chirping birds
Britain　Eighteenth century
Gilded bronze and enamel　108×53×66 cm

钟底座为八角形乐箱，正面及背面各嵌三幅珐琅画，左右两侧各嵌两幅珐琅画。这些珐琅画片有的表现祥禽瑞鸟的美姿，有的表现仕女的生活。乐箱上有一花园景观，各镶有三朵料石花的两座塔柱立于其间，顶部有花束。柱间树上栖息着莺、雀、鸽等。柱前面是两组喷泉景观，白天鹅嘴中含玻璃柱，转动起来，好似天鹅喷水。喷泉之间是三针钟，钟上站有象征吉祥的凤。在整个景观中还有七只小绵羊在悠闲自得地游荡。

启动后，乐起，两柱上的三朵料石花快速转动起来。水法旋转，形成白天鹅喷水和泉水不断喷涌的景象。钟是伦敦Willamson制造。

53

55

铜镀金象驮水法宝星花钟

英国　18世纪　高110厘米　宽48厘米　厚40厘米

Clock with the decoration of elephant and
star-shaped flower

Britain　Eighteenth century
Gilded bronze　110×48×40 cm

　　共分三层。底层为乐箱，外观设计成山石
景观，山石间有狗、鸭、蛇、鸟等；正面中间风景
窗内有山水及建筑物，风景画上还有能活动的
人物。二层是计时部分，背驮钟盘的大象站在平
台正中，平台四角有马首鱼尾的吐水异兽，平台
背面有一人跪地顶桶。第三层钟上立三层塔，每
层均有水法，塔尖有宝星花。

　　机器开动，底层风景前人物移动，异兽口
中的水法及塔上各级的水法转动，塔顶的宝星
花也同时转动。钟由伦敦 Barbot 制造。

56

铜镀金转水法连机动钟

英国 18世纪 高103厘米 宽54厘米 厚50厘米

Clock with fountain decoration
Britain Eighteenth century
Gilded bronze 103×54×50 cm

钟共分二层，一层为乐箱，箱内前半部是四嵌料石花抽屉，后半部为机械装置。二层为计时部分。乐箱平台四角各有嵌料石螺旋花，平台中间的四足支架上悬挂一圆形四针钟，白瓷盘上时刻的表示与众不同，钟盘左半圈是12小时，右半圈也是12小时，时针转一圈是24小时，钟盘上方竖着水法柱，顶端饰锥形旋转花。

此钟最大特点是整个圆形时钟本身就是一个钟摆。上弦启动后，左右不停地摆动，但振幅不大。这种造型新颖，钟体摆动的时钟，通常称之为连机动钟。

57

铜镀金四象驮转花钟
英国　18世纪　高124厘米　宽53厘米　厚46厘米

Clock with four elephants and star-shaped flower
Britain　Eighteenth century
Gilded bronze　124×53×46 cm

　　钟分四层。底层为山形，山石上栖息着蛇、蜥蜴、鳄鱼等动物。二层有四头棕色大象站立在山石上，四象背部有圆形花卉架，架中心布置一圈作跳舞状的转人。第三层为铜镀金卷草纹骨架，中为一广腹瓶，瓶正面有一圆盘，圆盘上有料石花5朵，花朵之间有首尾相衔接的四条蛇。圆盘上方嵌有一小表，表两旁立两对男子雕像。顶层是一尖塔，塔上盘绕着蛇，蛇身嵌料石花，塔上有一蹲姿大力士，头顶七星宝花。此钟机器部分在中间部位的瓶腹中。

　　上弦后，乐起，象背上跳舞人转圈，瓶腹部花、塔上料石花及顶部宝石花均转动，同时蛇游动。钟由伦敦 Barbot 制造。

58

铜镀金反光镜滚球钟
英国　18世纪　高94厘米　宽29厘米　厚35厘米

Clock with the decoration of rolling ball in the cabinet
Britain　Eighteenth century
Gilded bronze　94×29×35 cm

　　钟下层是长方形箱，箱四面均有油画。正面是乡村风景，内有跑人。箱上部是两扇门，门上绘乡村风景。打开门后，一个画人物肖像的挡板支住门使其不关闭。门内有面镜子，前倾45°放置。箱内设金属轨道。

　　开动后，一铜球在平面交叉的轨道上运动，利用反光原理，在镜中看到铜球似乎在空间运动，变幻无穷，但不跌落。箱四角各站女郎，正中卷草叶撑起两针钟，异兽摆垂于钟下。钟顶的奖杯上嵌多色料石组成的宝星花。

57

59

木楼三角形音乐钟
英国　18世纪　高100厘米　宽54厘米

Music clock with three dials
Britain　Eighteenth century
Wood　100×54 cm

　　钟外壳为木质包镶铜饰件。三只铜镀金狮子
为底足支撑着三角形钟体。三面均有二针钟盘，
钟盘上方油画风景前有人物及动物活动其间。钟
顶有海豚喷水景观。

　　机器开动，顶端的水法转动，好似瀑布，钟盘上
方人物走动。钟由伦敦 Williamson 制造。

60

铜镀金月球顶人打钟
英国　18世纪　高102厘米　宽49厘米　厚39厘米

**Chime clock demonstrating the movement
of the Moon**
Britain　Eighteenth century
Gilded bronze　102×49×39 cm

　　钟底座四周饰镂空花纹及料石，内为乐
箱，里面有机械装置。乐箱上站立一敲钟人，其
身前两侧各有九个钟碗，每个钟碗的音阶高低
不同。敲钟人身后由四根卷曲柱托着三针时钟，
钟盘上的两个小盘分别是分盘、秒盘。表盘周围
镶红、黄料石，镶满料石的钟摆垂于钟盘下方。
葵花形花朵在钟顶端，花中心的圆球代表月球，
半边嵌白色料石，另一半嵌蓝色料石。上面有15
条嵌料石经线，时钟每走24小时，则转一根线。

　　此钟可演月的盈亏过程。逢阴历朔日
（初一）起，月球从左向右转，嵌蓝色料石
的半边渐渐向背面转去，到望日（十五日）
蓝色面完全转到背面，这时从正面看到的
月球呈白色，恰似一轮圆月；反之，到晦日（三十
日）月球呈蓝色。此钟还可换乐。

59

61

铜镀金象驮琵琶摆钟
英国　18世纪　通高129厘米　宽50厘米　厚36厘米

Clock with a lute-carrying elephant
Britain　Eighteenth century
Gilded bronze　129×50×36 cm

　　钟底座四角以狮子为足，下层乐箱正面有一幅风景画，内有二层门。乐箱上一只大象驮着镶有料石的琵琶形环，上挂二针时钟，钟盘上分别显示有时、分、日历、朔望日，钟为琵琶摆。大象头上跪一头部缠头巾的印度人，象腹及象尾后有料石花和五朵菠萝花。

　　机器开动，底层乐箱门自开，第一层门打开有人在溪中泛舟；第二层门内是一教堂。随着乐曲声大象的眼睛、耳朵、鼻子、尾巴均活动起来，钟盘周围及象身周围的料石花均转动。

62

铜镀金人戏狮象驮钟
英国　18世纪　通高100厘米　宽44厘米　厚34厘米

Clock mounted on the back of an elephant and with the decoration of man playing with a lion
Britain　Eighteenth century
Gilded bronze　100×44×34 cm

　　钟下部为乐箱，正面有一个布景舞台，舞台内两侧是水法，中间有人物表演。乐箱上是平台。平台前部有人举着系有球的杆子戏狮，其左右两侧分别有一持鸟人，一持鹰人。人后是茂盛的棕榈树，两树之间有一高台，高台分两层，下层内有水法，上层有跑船转动布景。在高台上有一对大象驮钟，钟盘正中为秒针，上方为走时盘，下方左右分别为日历和月历盘。

　　机器开动，底层和高台内水法旋转，人物活动，船只航行；持鸟、持鹰人也随着转动；戏狮人举杆作戏狮表演，狮头左右摆动。钟是伦敦John Vale所造。

63

铜镀金少年牵羊钟
英国　18世纪　通高93厘米　宽51厘米　厚39厘米

Clock with the decoration of lad leading a goat
Britain　Eighteenth century
Gilded bronze　93×51×39 cm

　　八角形长方底座的正面中央是三针时钟，瓷盘正面写有英文"ROBT·WARD　LONDON"字样。钟盘两侧各有一小指示盘，左盘上的数字1-8表示这件钟表所配置的8首曲子；右盘上的"SILENT"表示止乐，"STRIKE"表示起奏。此钟可活动的部分全在底座两侧显示。左景窗内是一辆跑动的马车和转动的小花，右景窗内展现斗鸡场景。底座正面饰以稻穗，委角处饰以叉、镰、铲等农具及酒桶等，以示丰收。乐箱上站立着镀金少年，双目平视前方，身着多扣上衣，两手牵一头硕大的山羊，绳索满嵌红、蓝、绿各色料石。

　　钟的音乐装置设于底座中。机械启动，伴随乐曲声，左、右景窗内的卷帘同时卷起，马车奔跑，小花转动，公鸡争斗。音乐每开动一次，帘起落三次，曲终，动作结束。此钟造型别致，工艺精细，特别之处是拨动左右两指示盘的指针不仅可以调换不同的曲子，而且可选择是否用音乐伴奏。

62

64

铜镀金牌楼式人打钟

英国 18世纪 高96厘米 宽55厘米 厚37厘米

Chime clock with decorated architecture
Britain   Eighteenth century
Gilded bronze   96×55×37 cm

　　钟由四只大象支撑。象背驮一平台,平台上卷腿支架上站有人物。支架架起一圆形牌楼,牌楼内饰珐琅画,表现的是英国王子雷金特(Regent)在伦敦的别墅。圆形钟盘置于牌楼中间,其两侧的小盘,一个是止打铃盘,一个是换乐盘。牌楼两侧以麦穗做装饰。牌楼上方华盖下站立双手持锤人,双手敲打报刻,单手敲打报时。

　　在乐曲声中,走廊上的人物走动和舞蹈。钟由伦敦 William Carpenter 制造。

65
铜镀金鹿驮转花变花钟
英国　18世纪　高96厘米　宽29厘米　厚45厘米

Clock with the decoration of deer and flowers
Britain　Eighteenth century
Gilded bronze　96×29×45 cm

　　钟下部为乐箱，乐箱正面是二层自开门，门上绘风景。第一层门开后，呈现出乡村风景和活动人物；第二层门开后，呈现出小丑表演。乐箱平台上有能变换四种颜色的塔形转花及伞形转花。平台正中一雄鹿立于中央，鹿腹间嵌有转花，鹿背驮一对异兽，异兽托椭圆形钟。以二针钟盘为中心，周围是光芒四射的料石。上顶是锥状螺旋转花。

　　启动机械，乐箱正面门自开，门内人物活动，四角塔形花、上顶锥状螺旋花旋转。钟是伦敦 William Carpenter 所造。

66

铜镀金四马驮平置钟盘亭式钟
英国　18世纪　高137厘米　宽58厘米　厚52厘米

Timepiece with the decoration of pavilion and four horses
Britain　Eighteenth century
Gilded bronze　137×58×52 cm

　　钟底座为四马驮乐箱，箱为长方形，正面布置有活动人物的风景画。乐箱平台前部有三个墩，墩上平放钟盘，分别为时、分、秒盘。平台中央有三层亭，一层亭中间是七龙喷水。二层亭沿处有三朵铜镀金花，亭内有两个敲钟碗人，负责报刻，中间是四鱼吐水。三层亭内有一位敲钟碗人负责报时。

　　机器开动，底层乐箱风景窗内人物走动，亭内水法转动，好似流水；中间亭沿上三朵铜镀金花转动，敲钟人报时报刻。伦敦William Vale制造。

67

铜镀金吐球水法塔式钟
英国　18世纪　高123厘米　宽52厘米　厚45厘米

Clock with tower and fountain
Britain　Eighteenth century
Gilded bronze　123×52×45 cm

　　铜镀金三层塔式钟，下部置乐箱，四面为玻璃柱水法和人物。塔一层中间有水法，沿假山流入水池中，池面上有鸭子游动。二层中间水法外面有螺旋形盘梯环绕，盘梯下有一条张嘴的盘蛇，铜镀金滚球由水法顶部的出口处滚入螺旋形盘梯内而下。三层有两针时钟，嵌于正中。

　　机器开动后，铜镀金滚球从二层水法最高处出来，沿螺旋形盘梯滚下入蛇口，经蛇尾滚出，鸭子在湖面游动。

66

67

68

铜镀金自开门人打钟
英国　18世纪　高125厘米　宽77厘米　厚44.5厘米

Chime clock with automatic doors and bell striker
Britain　Eighteenth century
Gilded bronze　125×77×44.5 cm

　　分为三层。底层正面开光处卷叶纹和连珠纹相间横向排列，两侧以料石花为中心，折枝及缎带结环绕其中；左右两侧均为鸟立枝头图案。二层前半部有四个抽屉，后半部安放机械装置。上层门由机械控制自动开关，门内外侧以卷草、料石点缀；门内端坐一人，手持两锤敲击身前的钟碗。敲钟人身旁两柱上缠绕料石花带，身后墙上嵌料石花。钟在顶端，上满发条可走时七天。

　　弦满开动后，钟上方嵌料石圆柱及菠萝花均转动；门自动打开，敲钟人边摇头边奏乐，其身旁转柱、身后及顶端转花随之转动。奏完一曲，自动关门。

69

铜镀金四象驮转人转花四面钟
英国　18世纪　高106厘米　底 51厘米见方

Clock with four dials, four elephants and moving scene
Britain　Eighteenth century
Gilded bronze　106×51×51 cm

　　四只象驮钟，钟的下层四面有拱形大窗，其内绘风景，有跑人活动，以水法示瀑布，窗外四角各饰有一棵棕榈树。中层是四面盘钟，缘口处有料石花。上层为一亭式建筑，亭内有两个打钟人。

　　机器开动，下层人物循环跑动，上层人物敲钟。

68

70

铜镀金写字人钟
英国　18世纪　高231厘米　底77厘米见方

Clock with Western figure writing Chinese characters
Britain　Eighteenth century
Gilded bronze　231×77×77 cm

　　铜镀金四层楼阁式。底层是写字机械人，是此钟最精彩、新异，结构最繁复的部分，它与计时部分机械不相连，是一套独立的机械设置，只需上弦开动即可演示。控制写字部分的主要机械部件是三个圆盘，盘的边缘有凹、凸槽，长短距离不一，这些盘是按照每个笔划、笔锋而特制的。上下两盘分别控制字的横、竖笔划，中盘控制笔的上下移动动作。写字机械人为欧洲绅士貌，单腿跪地，一手扶案，一手握毛笔。开动前需将毛笔蘸好墨汁，开启机关，写字人便在面前的纸上写下"八方向化，九土来王"八个汉字，字迹工整有神。写字的同时，机械人的头随之摆动。第二层是钟的计时部分。第三层有一敲钟人，每逢报完3、6、9、12时后便打钟碗奏乐。顶层圆形亭内，有两人手举一圆筒作舞蹈状，启动后，二人旋身拉开距离，圆筒展为横幅，上书"万寿无疆"四字。

　　这件精美的大型钟是英国伦敦的Williamson专为清宫制作的。

71

铜镀金立牛长方座钟
英国　18世纪　高87厘米　宽54厘米　厚33厘米

Clock with rectangular base and bull under a palm tree
Britain　Eighteenth century
Gilded bronze　87×54×33 cm

钟底座为长方形，其正面有三个钟盘，分别为时、刻、分盘。两侧有以海滨城市为题材的漆画，背面有乐曲转换盘。底座上一头铜镀金母牛立在棕榈树下，引颈哞哞，好似呼唤小牛。

机器开动，随着美妙的音乐声，乐箱两侧风景画中人物行走，船只航行。钟由伦敦 James Cox制造。

72

铜镀金转水法三面人物打乐钟
英国　18世纪　高90厘米　底35厘米见方

Music clock with figures on three sides
Britain　Eighteenth century
Gilded bronze　90×35×35 cm

　　钟分三层。底座为乐箱，箱正面为人物乡村风景，两侧饰水法，底部有三个抽屉，以三朵彩色料石花为屉钮，内可放小物件。二层平台从里到外分三层，中间亭内有缠绕料石花带的一组水法柱；水法柱外圈四只卧驼驮着四柱水法；最外层正面及两侧各立两位打钟碗奏乐人，四角有伞盖形料石花。第三层平台上有四个驯马人，四马作喷水状；中心为四针时盘，有时、分、秒和日历针。钟顶有转花。

　　机器开动，下层乐箱内人物、各层水法、顶花转动。

73

铜镀金四狮驮水法钟

英国　18世纪　高82厘米　宽38厘米　厚45厘米

Clock with four lions carrying a tower
Britain　Eighteenth century
Gilded bronze　82×38×45 cm

底部四狮驮三层宝塔式钟。一层景观内有
船航行;二层玻璃窗是两层水法;三层是在铜镀
金的花枝间有蛇盘旋而上,两侧用料石花藤萝
衬托,上顶是一彩色宝星花,中间嵌两针小钟。

开动后,乐声响起,一层水法好似浪花翻
滚,船只航行,二层水法转动宛如瀑布奔流。伦
敦 James Cox 制造。

这个钟的特点是上弦不用钥匙,只需拉动
右侧旁边的绳。这根绳缠绕在一个凹形圆槽里,
把绳从凹形圆槽里全部拉出来,弦也就上满了。

74

铜镀金山子座转人钟

英国　18世纪　高56厘米　底27厘米见方

Clock with revolving warriors
Britain　Eighteenth century
Gilded bronze　56×27×27 cm

铜镀金岩石座四角站有手持武器的勇士,
座上置有钟箱,箱四角及顶端饰有翼龙。箱正
面镶有两针表,能走时打点。箱内置音乐机械装
置。钟箱上站一位身背战刀、手持盾牌、左右转
动的指挥官,其身后是一株棕榈树,树顶有华
盖,华盖边沿处是料石花,上顶有一只翼龙。

此钟走时和打点机械构造与一般古钟基本
相同,表盘左孔是打点上弦孔,右孔是走时上弦
孔,打乐和动作开关在后面。伦敦 Halert Maranet
制造。

74

75

铜镀金转皮球花三人打乐钟
英国　18世纪　高77.5厘米　宽35厘米　厚20厘米

Clock with three boys striking bells
Britain　Eighteenth century
Gilded bronze　77.5×35×20 cm

　　钟底座为乐箱，正面为光芒状的彩色料石，钟盘嵌正中。四委角处有头顶犄角、脸部带胡须的男士头像，头像下为铜镀金雕镂空花。乐箱上跪三个敲钟碗儿童，三组钟碗被镂空花遮掩。儿童背后有一组屏风，为铜镀金藤蔓花，中央为一组彩色料石花纹，屏顶有八朵彩色料石花。

　　机器开动，顶端的七朵小花围绕中心花朵转动，同时自转，形似一个皮球。钟碗前金色镂空花转动，儿童敲打钟碗伴奏。

76

铜镀金白瓷花钟
英国　18世纪　高54厘米　宽43厘米　厚32厘米

Clock with dragon and white flowers
Britain　Eighteenth century
Gilded bronze and porcelain　54×43×32 cm

　　铜镀金花枝中架二针圆盘钟，花叶上嵌有开放状的白瓷花。钟顶上有铜镀金凤，钟下卧麒麟。此钟有走时、打时、打乐三种功能。

　　凤是中国古代传说中的鸟王，麒麟是中国古代传说中的瑞兽，象征吉祥。这是专门为中国制造的钟表。伦敦Thomas Gardner制造。

77
银镂空花卉人物钟
英国 18世纪 高88厘米 宽50厘米 厚40厘米

Clock with flowers and figures
Britain Eighteenth century
Silver 88×50×40 cm

　　钟体饰银质镂雕花卉人物。正面有一立体
画，内部有大厅，厅中有拉提琴、弹琴、扛旗等
人物和小天使，大厅空间云层中也有人物。厅
内有二针钟，钟为明摆，钟盘上、下边各显示日
历、周历。钟盘上方的两小盘为选择乐曲盘。钟
顶装饰有奖杯。

78

铜镀金嵌珐琅画钟
英国　18世纪　高90厘米　宽34.5厘米　厚34.5厘米

Clock with the decoration of enamel paintings
Britain　Eighteenth century
Gilded bronze and enamel　90×34.5×34.5 cm

钟体造型为欧洲古典建筑风格。其机械装置放在底层方形箱内。箱的前面有抽屉，放置刀、剪、尺、笔、望远镜、瓶子等10件小型用具。钟盘上的刻度显示的是秒，盘中心的长针是秒针。盘上又有四个小盘，上为走时、分的盘，左为太阳历月盘，右为太阴历月盘，下为选乐曲盘，后者顺时针方向拨动指针，便可以按盘上所示奏出六支乐曲。时钟为三套，可走时、报时、奏乐。钟体的四周装饰有16幅大小不一的珐琅画片，内容大多取材于希腊神话故事，如底座正中为《阿克泰翁和狄安娜》，底座两侧为《欧罗巴嬉牛》、《维纳斯的诞生》，钟盘背面为《路克雷西亚自杀》等。

用珐琅装饰钟表是18世纪通用的手法之一，但一件钟表上用如此多的希腊神话故事情节的珐琅画，还是罕见的。正面镀金横幅上刻"LEWIS PANTIN FECT LONDON"。

79

铜镀金转花翻伞钟
英国　18世纪　高70厘米　底27厘米见方

Clock with revolving flowers and moving canopy
Britain　Eighteenth century
Gilded bronze　70×27×27 cm

钟分三层。底层内设音乐及活动玩意装置机械；正面圆形盘内有一朵料石花，花分两层，上层嵌红料石，下层嵌白料石。二层正面是三针二套时钟。三层的圆形屋顶以16个铜镀金伞叶组成，伞叶下布置一组水法；伞顶有一束转花，花束侧面是三朵料石花，顶部有嵌料石螺旋形花。

此钟走时系统与音乐、活动玩意装置系统相连。报时钟声结束后，乐箱里机芯发条启动奏乐，底层正面转花的两层分别向相反方向转动，红白两色交织，富于变幻；三层的镀金伞叶打开，伞下水法转动似喷泉。乐止，转花停转，伞叶渐渐合拢，恢复圆形屋顶状。

80

铜镀金转花自鸣过枝雀笼钟
英国　18世纪　高76厘米　底径32厘米

Clock with flower and bird
Britain　Eighteenth century
Gilded bronze　76×32×32 cm

　　鸟笼底座为正方委角形，内置机械，正面嵌小表。鸟笼以12株菠萝为柱，以铜镀金丝编织成笼。鸟笼中心为嵌红绿料石螺旋塔，两侧挂鸟食罐，笼内有镀金可开合圆筒与高足杯，以及带弹簧的横杆，杆上立一鸟。

　　机器启动，小鸟左右转身，展翅摆尾，在两横杆上往返跳跃，并发出抑扬不同的鸣叫声。随着乐曲声，笼内圆筒开启，内有水法转动，酷似瀑布，顶端的宝星花交错旋转，光芒四射。伦敦 James Cox 制造。

81

铜镀金嵌料石花瑞鸟钟
英国　18世纪　高52厘米　宽22厘米　厚20厘米

Clock with auspicious bird
Britain　Eighteenth century
Gilded bronze and pastes　52×22×20 cm

　　钟为铜镀金西洋建筑式，下层正面门券镶红色料石，门中有风景画，门两侧柱子用寿鸟装饰。二层正中嵌二针钟，上顶圆球上有一只神态威严的瑞鸟。

　　伦敦 Williamson 制造。

82

铜镀金转皮球花钟
英国　18世纪　高56厘米　宽22厘米　厚16厘米

Clock with ball-shaped flowers
Britain　Eighteenth century
Gilded bronze　56×22×16 cm

　　铜镀金钟分二层。下层为乐箱，正面用红绿料石装饰成菱形，上面的红绿白三色料石花可旋转。上层正面嵌三针钟盘，外缘用料石装饰。

　　在机械开动后，上顶的红绿两色料石花按两个相反的方向转，形成左右方向交错，似皮球在滚动，给人目不暇接之感。

80

83

铜镀金山子转天鹅人打钟

英国 18世纪 高68厘米 宽69厘米 厚45厘米

Clock with rockery, figures and animals
Britain Eighteenth century
Gilded bronze 68×69×45 cm

　　钟造型是铜镀金假山，棕榈树立在山体左右，蛇、牛、羊、仙鹤、狮子、兔、狗、小鸟、鳄鱼、蜥蜴、贝壳等遍布山间。山底有一湖，以镜子表示湖水，湖面有两只天鹅。三针钟盘置于山石正中，除走时、分外，钟盘上还有太阳历，并显示月之盈亏。山顶棕榈树中有一钟亭，亭内跪两个手持钟锤的敲钟人，二人之间是一束嵌料石伞状花。山的两侧矗立缠绕铜镀金花叶的蓝色玻璃柱，柱顶有伞状花。

　　机械开动，乐声响起，天鹅被镜面下磁石吸引着在湖面上游动，敲钟人之间及蓝色玻璃柱上的伞花转动。为Williamson制造。

84

铜镀金玳瑁楼行船跑人钟
英国　18世纪　高48厘米　宽24厘米　厚16厘米

Clock with tower and moving scenes
Britain　Eighteenth century
Gilded bronze and hawksbill　48×24×16 cm

　　木胎钟壳包镶玳瑁薄片，钟体周身嵌金、银二色金属饰件，饰件上点缀红绿蓝等色料石。钟分二层。二针钟盘在下层正面，钟盘下方的两个小盘，左边是乐曲启止盘，右边是更换支曲盘，此钟可变换四支乐曲。钟盘上方有油画布景，景前有活动船只、人物。上层拱形建筑廊下有一圈走动人物。顶端杯两侧有双翼龙攀升。

　　上弦后，伴随着乐曲声，布景中船只、跑人和上层廊下人物列队而行。钟机芯上标"Edward Wicksteed London"。

85

铜镀金转料石地球亭式钟
英国　18世纪　高68厘米　底36厘米见方

Clock with the decoration of pavilion
Britain　Eighteenth century
Gilded bronze and pastes　68×36×36 cm

　　铜镀金八角底座，通体饰镂空花。正面有拱形门，门框饰红白相间的料石。门内有二针钟盘，盘上端左右各有一小盘，左为阳历盘，右为音乐止打盘。两小盘间有一蓝白各半的料石球。钟上还有一小亭，内有铜镀金塔。

　　当机械开动，在走时机械的带动下，料石地球不断转动，白天时看到白色一面，夜间看到蓝色的一面。每24小时自转一周。伦敦 Robert Philip制造。

86

铜镀金四象驮八方转花钟
英国　18世纪　高142厘米　宽87厘米　厚91厘米

Clock with four elephants and revolving flowers
Britain　Eighteenth century
Gilded bronze　142×87×91 cm

　　这是一座巴洛克建筑风格式钟。四层台阶上錾刻密集花纹，四只大象背负钟。下层前后门上彩绘凡尔赛宫，各色料石组成的花带围绕在画面的边缘；前后门上方均嵌圆形瓷片，前面三幅，居中的是一女郎驾车，车由飞马牵引，两边是侍女像；后面是一幅孔雀图；正门内有宽敞大厅，厅中央的牌楼下铸古希腊神话传说中的光明之神阿波罗像；下层左右两侧各有古典人物风景画，画中彩绘仪仗队簇拥国王出行图；下层四隅有白石柱，柱上缠绕彩色料石花带。中层正面是钟盘，盘中央有一朵齿轮状蓝料石花，其中较长的两齿分别是时、分针，走时同时，花旋转；钟盘上方有两个小盘，左为乐曲止打盘，右为换乐曲盘，此钟可演奏七首乐曲；中层背面彩绘将士出征场景，左右两侧铸阿波罗铜头像及油画女子像。上层直立一树，坠大颗料石象征果实；树干上固定两朵料石花，花造型新颖，小朵花衬托中央的弯月，似星星散布月亮四周。

　　此钟是伦敦George Higginson制造。

85

86

87

木楼嵌铜饰木哨钟
英国 18世纪 高48厘米 宽33厘米 厚22厘米

Clock with moving scene
Britain　Eighteenth century
Wood and copper　48×33×22 cm

　　此钟木壳上嵌铜花纹。正面为二针表盘，上方有欧洲风光漆画。景中上方有风车，景前有牛、羊及牧人。有走时、打点、音乐活动景观三套系统。机芯以条盒、皮弦、塔盘轮组成，经传动系齿轮转动，带动机轴擒纵机构。

　　机械开动后，音乐机械装置中长短各异的木哨，奏出和谐的乐曲。布景内风车快速旋转，牛、羊跑动，牧人紧跟其后向前行进。伦敦James Newton制造。

88

铜镀金园丁莳花钟

英国　18世纪　高82厘米　宽28厘米　厚32厘米

Clock with gardener taking care of flowers
Britain　Eighteenth century
Gilded bronze　82×28×32 cm

　　钟底层为乐箱，正面是钟盘，除时、分针外，钟盘顶端和底边各有两个指针，分别控制音乐起止和演奏的速度。箱两侧圆框内是欧洲乡村风景，景前有活动人物。箱背面有调换乐曲盘。箱上一单腿蹲地少年左手持花，右手扶头顶花盆，花盆上有两只镶嵌料石的蝴蝶。从少年脚旁放置的铁锹和喷壶可以看出是在莳花植卉。

　　开动后，在乐曲伴奏下，布景内人物不断行走，蝴蝶展翅欲飞。由伦敦 Marriote 所制。

铜镀金孔雀开屏牌楼式人打钟

英国　18世纪　高59厘米　宽33.5厘米　厚16厘米

Chime clock with peacock displaying its tail

Britain　Eighteenth century
Gilded bronze　59×33.5×16 cm

　　此钟铜镀金质，底层为乐箱，乐箱正面3个铜镀金框内镶珐琅片，中间为银胎珐琅片，绘大厅图案，两侧珐琅片各绘三位女艺术家。箱顶平台上立珐琅柱两根，柱间一西洋女子执杖牧羊，三只羊姿态各异。平台周边装饰瓶花，后部正中树桩上站立一只正欲开屏的孔雀。两根珐琅柱架起钟盘，钟盘上有时、分、秒针。钟上有小亭，亭中立敲钟人。

　　此钟机械开动时，敲钟人击钟碗报时，在乐声中牧羊女唱歌，左侧羊左右摇头，右侧羊作咀嚼状，孔雀边扭身边开屏。

90

洋瓷雕飞仙人钟

英国　18世纪　高43.4厘米　宽23厘米　厚14厘米

Clock with Western figures and angels

Britain　Eighteenth century
Porcelain　43.4×23×14 cm

　　瓶形钟的腹部嵌二针时钟，一位少女手扶花篮坐在瓶口处，神态优雅自然。钟下露出一表情深沉的成年男子头像。钟体上下飞绕着爱神丘比特。

　　钟盘上标"Howes London"。

HOWES
LONDON

91

铜镀金嵌珐琅人物亭式转花水法钟

英国　18世纪　高77厘米　宽41厘米　厚37厘米

Clock with pavilion, fountain and animals

Britain　Eighteenth century
Gilded bronze and enamel　77×41×37 cm

　　八角二层亭式钟，机械装置位于底层，底层正面直列三个钟盘，分别是秒、分、时盘。其余各面装饰镜框和珐琅画片，二者相间排列。表盘左侧珐琅片为一幼犬迎接女主人，右侧珐琅片为一妇女教孩童识字。二层亭以八株棕榈树干为柱，亭脊饰行龙，檐头龙口衔铃，亭中央有水法景观，狗、狼、虎、豹、象等动物沿水法跑动。

　　由伦敦Williamson制造。

92

铜镀金山子鸟兽人打钟

英国　18世纪　高78厘米　宽65厘米　厚42厘米

Chime clock with rockery and animals
Britain　Eighteenth century
Gilded bronze　78×65×42 cm

　　三针钟盘嵌在山石正中，山间是动物的乐园，有鹤、牛、羊、狮、蛇、鳄鱼、蜥蜴、兔、犬、贝壳、螺蛳等。山脚下洞穴中有水法，水直泻进玻璃做成的水池中，池旁有鸭子。山顶棕榈树丛中有双手举钟锤的敲钟人。钟有走时、报时刻、音乐、活动玩意装置系统。

　　每逢报刻，敲钟人双手敲击钟碗发出"叮当"声，逢正点时，敲钟人单手敲击发出"叮"、"叮"声。弦满开动后，乐起，水法转动，似山间小溪不断流向池中。

93
铜镀金自开门水法梳妆箱钟
英国　18世纪　高101厘米　底41厘米见方

Clock with automatic doors and make-up box
Britain　Eighteenth century
Gilded bronze　101×41×41 cm

　　钟通体錾刻花鸟、风景，并以彩色料石点缀。底层有一个放化妆用具的抽屉。钟正面上下各有一门。上门内有抽屉，抽屉内盛有香水、剪刀、小刀等化妆用品；下门是自开门，里面有水法柱。规矩箱四角是嵌料石转柱，以料石菠萝为柱头。时钟位于箱顶平台上，四周镶嵌有料石，顶端有嵌料石螺旋形花。

　　上弦机械启动后，伴随音乐声，柜门自动打开，水法转动如瀑布倾泻，柱子、菠萝花、螺旋形花同时转动。乐止，门自动关闭，一切活动停止。

94

铜镀金八仙水法转花钟
英国　18世纪　高84厘米　宽35厘米　厚24厘米

Clock with Eight Immortals and flowers
Britain　Eighteenth century
Gilded bronze and enamel　84×35×24 cm

　　钟由底座和计时部分组成。底座内是音乐及活动玩意机械装置。其正面景观内有铁桥横跨河面，从桥孔望去河面上有帆船行驶，桥面上有人骑着马列队过桥。底座平台上左右各置一朵伞状转花。计时部分在上层。曲腿支架托起椭圆形盘，盘正面嵌珐琅画。表盘被巧妙安放在画中，走时、分的大表盘在仕女所提花环上，走秒的小盘在狗背上。椭圆形盘的背面是一面镜子。钟底座与计时部分由一根云纹柱相接，柱周围是一圈八仙人物。

　　开动后，象征河水的水法、八仙人物、转花等在乐声中转动。此钟中西合璧，八仙人应该是清宫造办处后来补上去的。

95

铜镀金葫芦式水法钟
英国　18世纪　高69厘米　宽29厘米　厚25厘米

Clock with the design of gourd
Britain　Eighteenth century
Gilded bronze　69×29×25 cm

　　葫芦形，葫芦下腹部嵌白磁盘二针时钟，钟盘上的两个弦孔分别负责走时、报时。上腹部布置丛林瀑布景观。

　　机械装置开动后，传出悠扬的乐声，葫芦里的水法转动如同瀑布自上而下垂直倾泻，乐停即止。

94

96

铜镀金乐箱鹧鸪鸟钟
英国 18世纪 高42厘米 宽43厘米 厚27厘米

Clock with music box and partridge decoration
Britain Eighteenth century
Gilded bronze 42×43×27 cm

　　底层是乐箱，四面饰六幅珐琅仕女画，画中人物端庄秀美，服饰色彩艳丽，具有很高的工艺水平。珐琅花两边铜镀金板雕刻乡村风景。乐箱顶平台上立一座钟，钟顶部有象征放鸟食的小坑，一只鹧鸪站在钟旁。逢正点报时后，鹧鸪鸟鸣叫着作啄食状。

97

铜镀金嵌料石升降塔钟
英国　18世纪　通高120厘米　底41厘米见方

Clock with elevating pagoda
Britain　Eighteenth century
Gilded bronze　120×41×41 cm

　　钟塔座为八角形，三面均有钟盘，其中正面盘有时、分、秒三针，两侧盘只有时、分二针，钟盘周围镶彩色料石花。塔座内为钟的走时系统及音乐转动系统。塔座上立九层六角塔，每层均饰栏板，塔檐有六条珠链。

　　弦满开动后，随着中国民乐《茉莉花》的旋律，塔身缓缓升起，而后又平稳降落，曲终，塔恢复原状。

98

铜镀金骆驼亭式转人钟
英国　18世纪　高105厘米　底67厘米见方

Clock with pavilion, camels and figures
Britain　Eighteenth century
Gilded bronze　105×67×67 cm

　　这是一座装饰华丽的大座钟，镂空叶状纹足架着钟的托板，板上一圈叶状栅栏，栏杆内四角站着高大的骆驼，背上骑着扛枪、戟的战士，驭手站在骆驼前面。驼峰间驮起第二层以上的钟楼。钟楼底层箱内安放机械装置，箱四周为布景，绘溪边风景，前有帆船。第二层以棕榈树干为支柱，柱间悬挂旗帜，中心是漆画风景的圆筒柱，绕柱有四层人物。上层亭间中间有二针双面钟，钟盘上的三个弦孔分别负责走时、报时、打乐。上层亭顶栏杆内有一圈行人，顶端有料石星球。

　　机械上弦启动后，底层的帆船、各层人物及料石星球徐徐移动。钟的制造者是伦敦的John Barrow。

97

98
98

99

铜镀金象驮宝塔变花转花钟
英国　18世纪　高122厘米　宽57厘米　厚32厘米

Clock with elephant carrying tower
Britain　Eighteenth century
Gilded bronze　122×57×32 cm

　　錾花纹铜镀金底座上站立大象，象身披镶嵌各色料石的花鞯。控制大象活动的机械置于腹内，弦孔在鞯上。象背驮四层方塔。底层正面的转花，可变换四种形状和颜色；二层正面镶嵌三针时钟；三层、四层中心嵌料石柱和四角嵌料石柱都能转动，亭顶有棱形花。

　　上弦后，伴随乐声，象的眼珠转动，鼻子向各个方向伸卷，尾巴左右摇摆，同时转柱、转花，其中三层的中心柱转动时可变形状，时方时圆。充分展示了制造者的非凡智慧与技艺。

100

铜镀金珐琅人物画钟
英国　18世纪　高28.5厘米　宽21.8厘米　厚18厘米

Clock with enamel paintings and moving scene
Britain　Eighteenth century
Gilded bronze and enamel　28.5×21.8×18 cm

　　钟的外观似方匣。四只铜镀金豹托起钟体，钟壳上嵌满精美珐琅画。匣盖四角立有珐琅杯，杯上绘有男、女头像；盖的下沿正中绘男头像。二针时钟嵌在匣正面上部，弦孔在钟盘上，上满一次弦可以走八天。匣正面下部是两扇门，门扇内有珐琅画。门打开后，可以看到由近及远的景物，河面上有行船，后边天水相连，给人广阔深远的感觉。

　　机械上弦后，在优美的乐声中，平铺的水法转动起来似河流，水中的帆船缓缓而行。

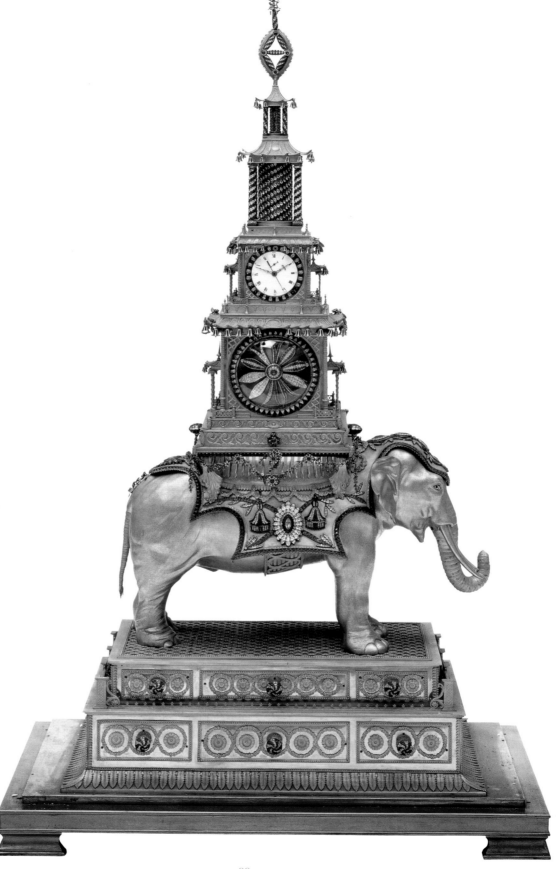

99

101

铜镀金象驮转花水法钟

英国　18世纪　高105厘米　底53厘米见方

Clock with elephants and flowers
Britain　Eighteenth century
Gilded bronze　105×53×53 cm

　　梯形底座内为乐箱，装饰极为繁复。堆砌的山石上站立四只大象驮着四层水法转花钟。一层中间有站在圆盘上的人物、牛、马等，外嵌金发女士赏景珐琅画。二层是两针二套时钟，外有孔雀守护，花叶环绕。三层中间为水法，外为彩漆人物画。四层是丛林围绕瀑布，四角武士站岗，中间有水法，顶端有花束。

　　机械开动后，圆盘上的人、兽随圆盘的转动而转动，水法柱、顶端的花束旋转。

102

铜镀金嵌料石转人升降塔钟

英国　18世纪　高95厘米 (升起高度122.5厘米)　底46厘米见方

Clock with elevating pagoda
Britain　Eighteenth century　Gilded bronze and
pastes　95×46×46 cm
Height 122.5 cm when the pagoda rises
at the highest point

　　钟通体铜镀金嵌料石。塔基座三面有表盘，正面是三针钟，其下方的两个上弦孔，左边是打乐弦孔，右边是走时弦孔；两侧是二针钟，钟盘周围镶三色料石。塔基上立五层圆形宝塔，四角立武士。第一层廊下有一圈身着不同服饰的12人组成的仪仗队伍，分别擎旗、吹笛、击鼓等；塔正面和左右两面椭圆形开光处各有呈放射状的水法柱，中心嵌料石转花。

　　机器开动，宝塔的一至四层，随着音乐声逐层升起，同时仪仗队沿着塔身行进，水法、转花转动。塔升到固定高度后停止，音乐也随之停止。再开动，乐声重起，塔身逐层下降至最低位置。曲终，活动玩意静止。这座塔钟结构严谨、布局合理，展现了200年前的高超设计和精湛工艺。

101

103

木楼嵌铜饰古典建筑钟
英国　19世纪　高128厘米　宽74厘米　厚37厘米

Clock with classical architecture
Britain　Nineteenth century
Wood and copper　128×74×37 cm

　　钟造型为欧洲建筑式样，黑漆木质钟壳上
嵌铜镀金饰件。铜镀金钟盘在正面，钟盘上方的
三个小盘，中间是调节走时快慢盘，左边是打乐
启止盘，右边是转换乐曲盘，有三首乐曲供选
择。

　　机芯上刻"Wiomptl Wromte"。

104

黑漆木楼嵌铜饰钟
英国　19世纪　高122厘米　宽74厘米　厚37厘米

Clock with black-lacquered tower
Britain　Nineteenth century
Wood and copper　122×74×37 cm

　　钟为黑漆木楼式样，周身饰铜镀金饰件。
钟盘中心与钟板均有铜镀金雕花，正面居中为
铜镀金钟盘，上有三个弦孔分别负责走时、报
时、打乐。钟盘之上有三个小盘，正中的是调节
快慢盘，两边的小盘分别是止打乐盘和换乐盘。

　　伦敦John Bennett制造。

103

105

铜镀金嵌料石三角冠架钟
英国　19世纪　高26厘米

Clock with a function of hat stand
Britain　Nineteenth century
Gilded bronze　Height 26 cm

　　三足折叠式，顶端嵌表，表口圈嵌料石。制作精美，造型优雅，是冠架中的精品。

　　冠架俗称帽架，是宫廷日常生活中的必需品，多摆放在桌案之上，其形状和质地有许多种。

106

铜镀金四羊驮塔式转花表
英国　18世纪　通高103厘米　底40厘米见方

Watch with four goats carrying a tower
Britain　Eighteenth century
Gilded bronze　103×40×40 cm

　　钟由底座、乐箱、计时器三部分组成。底座为铜镀金山石形，地面上爬着褐色的蛇、蜥蜴等，岩石开阔处立一褐色雄狮，狮后两侧的洞口各设一面镜子，利用镜子映现出岩石间似有三只雄狮；底座四角券门前立持枪的士兵。底座之上由四只山羊驮起乐箱，乐箱由四卷草形曲腿支撑，每两腿间饰以铜镀金羊头和以料石做花心的花环，四曲腿架上均设各色料石做成的瓶花；乐箱正面中央是以白料石作圈口的圆盘，盘内有红、白料石组成的花朵，中心的宝星和边缘的8朵小花均可旋转；乐箱四周矗立四棵挂满果实的棕榈树，每颗树上各有一条绿蛇盘绕其上。最上部是计时部分，二针表以红、白料石作圈口，表上竖立点缀花卉的小亭，亭顶蹲着头戴宝星的小丑，宝星上饰有红、白料石转花。

　　此表充分利用机械齿轮的联动，启动音乐装置后，所有的转花随之转动，使人眼花缭乱。将底足做成动物形来支撑钟体是18世纪英国钟表惯用的手法，常采用的动物有羊、象、狮子、犀牛等。

105

107

铜镀金羊驮玛瑙乐箱表

英国　18世纪　高90厘米　宽41厘米　厚30厘米

Clock with music box and goat decoration
Britain　Eighteenth century
Gilded bronze　90×41×30 cm

分三层。下层为四只龟背负着铜镀金底座，底座四面浮雕西洋传统装饰题材——狩猎图，猎狗追逐着惊慌的麋鹿，猎人手持棍棒守候在旁。中层为羊驮乐箱，一只健壮的山羊立于底座之上，羊身的褡裢上装饰着由绿、白、黄、蓝料石组成的花朵，羊背正中半跪一托花盆的力士，又垒石为架，架上立四象，驮起乐箱；乐箱正中雕头长羊角的森林之神，箱四角为身生双翼的小爱神。顶层为时钟座几，座几立于乐箱平台上，中间有一大象驮着走时、打时表，表由表盘上的弦孔上弦，上弦钥匙亦为铜镀金，表的两侧立柱顶上半跪着托顶花篮的力士。

白瓷表盘上标"Jaˢ cox London"，上弦钥匙上刻"Jaˢ cox London 1766"。

铜镀金嵌珐琅容镜表
英国 18世纪 高70厘米 宽50厘米 厚29厘米

Watch inlaid in the center of the back of a
mirror glass
Britain Eighteenth century
Gilded bronze and enamel 70×50×29 cm

由八只动物足支撑，底座为乐箱。箱四面
有珐琅画，画中有山村景色和孔雀及希腊神话
中的小爱神。画面清晰，色彩鲜艳。乐箱两侧各
有小抽屉，可放置梳妆用品。乐箱上是平台，平
台四角各有铜质奖杯状铸件，这是当时欧洲钟
流行的饰物。平台上还置四铜镀金人，两人手持
花环，两人手持盾牌，形象逼真。平台中间为椭
圆形镜面，四周以花环为边框，镜背有蓝色玻
璃，中间嵌一小表，表盘上有分针、时针。镜的
两侧有轴，是透明玻璃雕刻的方尖柱。

此表以梳妆台为造型，打开表的后盖可用
钥匙上弦。小表的原动系和擒纵机构已有改进，
擒纵器用摆游轮游丝机轴取代了原来机轴连着
摆杆摆锤的结构。这种小表随着梳妆镜前后倾
斜，走时仍然准确，更不会发生停摆现象。伦敦
William Hughes所造。

109

铜镀金四象驮跑人日历表
英国 18世纪 高72厘米 底49厘米见方

Calendar watch with four elephants and figures
Britain Eighteenth century
Gilded bronze 72×49×49 cm

分三层。底座为四只大象托着椭圆形乐
箱，乐箱前后两面为布景箱，景前有弹奏各种乐
器的人物。二层平台中心为圆形建筑，两层仪仗
队围绕圆形建筑物行走，四角为转花。支架上用
尾立鱼做吻，托起钟盘，大钟盘上除中心秒针
外，还配有四个小盘，上为走时盘，左为阳历计
日盘，右为走分盘，下面为计秒盘，其上标有1、
2、3、4数字，小针不停地快速转动，使钟显得富
有生气。此表走时与打点的上弦部分在表后面，
乐箱右侧两个钮，是音乐换套和动作的开关。

108

110

铜镀金四羊驮两人擎表
英国　18世纪　高59厘米　宽36厘米　厚30厘米

Watch carried by two angels and with the decoration of four goats, enamel paintings and moving scene
Britain　Eighteenth century
Gilded bronze　59×36×30 cm

　　铜镀金质，四只山羊驮乐箱立于铜镀金底座上。乐箱四面内设舞台场景，其中为欢聚的绅士和淑女。箱顶上饰围栏一周，四角立玻璃柱，正中为一方形化妆盒，盒正面镶嵌珐琅画，绘一位女海神立于贝壳上驾驭海兽。其上正中为粉色料石，左右各二枚圆形玛瑙片一字排开。粉红色料石是按钮。盒内有玻璃香水瓶、铜镀金剪刀、镊子等化妆用品。化妆盒盖顶上两个双翼天使捧二针瓶式表，表上挂金属花环链。

　　当表内机械开动时，音乐响起，乐箱布景内的男女人群起舞。此表既是化妆盒，又是报时钟表。由伦敦 William Hughed 制造。

111

铜镀金四狮驮象水法表

英国　18世纪　高81厘米　宽41厘米　厚33厘米

Watch with four lions carrying base and elephant carrying fountain

Britain　Eighteenth century
Gilded bronze　81×41×33 cm

　　分三层。四狮背负底座，底座前后均雕狩猎场面，两侧是蛇熊相斗场面。象驮轿为第二层，象腹内装有乐曲装置及带动水法的齿轮系统，象轿以人物头像为四柱，水法布置其中。第三层叠石正面嵌两针表，表不仅走时，还报时。

　　上弦后，在乐曲伴奏下，二层水法转动似瀑布。由James Cox制造。

112

铜镀金珐琅壁瓶表

英国　18世纪　高43厘米　宽19厘米　表径5.4厘米

Watch inlaid on a vase

Britain　Eighteenth century
Gilded bronze and enamel　43×19 cm　Diameter of the watch 5.4 cm

　　这是英国制造的中国式壁瓶表。瓶为铜胎画珐琅，正面二名头布上插羽毛的男子捧着小表。上半部画花鸟，瓶中插有料石花和瓷花。

　　这种壁瓶表可悬挂在皇帝轿上。表的后板上镌刻"Deniel Quare"。

111

112

113

铜镀金三羊开泰葡阴人擎表
英国　18世纪　高54厘米　宽24厘米　厚24厘米

Watch carried by a lady under grape trellis
Britain　Eighteenth century
Gilded bronze　54×24×24 cm

　　铜镀金质，底座下以仿山石腿支撑，乐箱
呈六棱形，其中三面内嵌椭圆形漆饰人物画，画
面背景为欧洲田园风光。乐箱上置葡萄架，有绿
色金属叶片，葡萄由珍珠组成，架上停落料石镶
嵌的蜻蜓和小鸟。葡萄架顶部饰一只嵌料石绶
带鸟。葡萄架前一神态端庄的女子坐于山石上，
右手举一银壳两针时钟。山石下有三只银色山
羊嬉戏。

　　机械开动时，乐箱布景中人物行走，水法
转动，蝴蝶、小鸟微微抖动。此钟是英国著名钟
表大师Williamson专门为中国制造的，他的名字
刻于表的机芯上。

114

铜镀金牧羊风景表
英国　18世纪　高79厘米　宽63厘米　厚53厘米

Watch with shepherd tending sheep
Britain　Eighteenth century
Gilded bronze　79×63×53 cm

　　此表以牧羊场景为造型。牧童吹着喇叭立
于母羊之后，身旁草地上两只羔羊在母羊身旁
嬉戏，母羊背驮方形表箱站在大树下，茂密的树
枝上栖息鹧鸪一只。表箱以铜镀金树叶纹作边
框，箱面装红色玻璃，箱正面嵌二针表，其余各
面均装饰彩绘人物花鸟珐琅片。

　　此表造型优美，一派西洋田园牧歌的情
调。音乐机械装置在母羊腹中，每逢整点，乐曲
响起，鹧鸪抖动翅膀，发出"咕、咕"声，按钟点报
时。白瓷钟盘上有"Williamson London"字样。

113

115

铜镀金犀牛驮梳妆镜表

英国 18世纪　高74厘米　宽38厘米　厚24厘米

Watch mounted on the top of a mirror with four rhinoceroses carrying make-up case

Britain　Eighteenth century
Gilded bronze　74×38×24 cm

　　为梳妆台式。以铜镀金犀牛为足，四足间有花带相连。规矩箱以铜镀金为骨架包镶玛瑙，箱体饰有四片人物珐琅画。规矩箱上下部各有一门。上门里有三格，中间格里有三个可旋转的彩色料石柱，左右两格放香水瓶及剪刀、眉笔等化妆用具，瓷飞鸟作香水瓶盖。下门里绘风景画，景前有活动人物。规矩箱顶端铸两个手持武器的威武士兵。容镜固定在规矩箱上方，可调整仰俯角度，镜边缘包裹卷草叶。表在最顶端，其时、分针上均嵌白色料石。表盘中心有一珐琅片，描绘一男子向女士求爱。表上方置一束瓶花。

　　这件不大的钟表不但外观制造精美，且安装有音乐及活动玩意和装置。上弦起动后，音乐声响起，在乐曲伴奏下，上门内彩色料石柱转动，下门内活动人物前行。

116

铜镀金绿鲨鱼皮天文表

英国 18世纪　高169厘米　直径85厘米

Watch mounted on astronomical instrument

Britain　Eighteenth century
Gilded bronze and green shark skin　169×85 cm

　　铜镀金质，由底座、星盘、钟表三部分组成。底座为六面体铜镀金饰绿鲨鱼皮，三面嵌有西洋建筑、农田牧场、跑马游戏的活动图像；六个狮爪上有六个铜镀金洋人，分别怀抱天球仪，手持望远镜等，神态各异，栩栩如生。底座上面有象征宇宙的星盘，星盘上用中文标明的12星座和月份；在星盘周围有铜镀金的天宫图像，每宫为黄道30度，其上还刻有清晰的南北回归线，南北极圈。在极圈顶端嵌着直径10厘米的白磁盘小表，表底座侧有一个上弦孔。

　　启动后，随着乐声，房屋、牧羊人、马匹等开始旋转，星盘上的众星沿轨道围绕太阳运行，月球绕地球旋转。乐止，一切活动停止。由Jennyman制造。

115

117

铜镀金仙鹤驮亭式表
英国　18世纪　高38厘米　宽30.5厘米　厚13厘米

Watch in the center of pavilion and on the
back of a crane
Britain　Eighteenth century
Gilded bronze　38×30.5×13 cm

　　一只回首眺望的曲颈仙鹤口衔灵芝站在红
丝绒木座上。仙鹤背驮二层仙阁，二针小表嵌于
阁中间。鹤腹中安置音乐机械装置，启动时可演
奏四支乐曲。

　　表的制造者是James Cox。

118

铜镀金象驮佛塔表
英国　18世纪　高43厘米　宽28.5厘米　厚10厘米

Watch in the center of tower carried by elephant
Britain　Eighteenth century
Gilded bronze　43×28.5×10 cm

　　一位身着东方服饰的驭手骑着大象。象背驮三层方亭，亭脊有翼龙装饰。亭子第一、第三层中供佛像。小表挂在第二层，表盘上表示时、刻、分的数字均用汉字书写，这在清宫藏钟表中是不多见的。

　　表机芯上有款识"James Halsted"。从表的造型和表盘特点看，应该是英国工匠为中国特制的。

119

铜镀金镶玛瑙乐箱瓶式转花表

英国 18世纪 通高51厘米 宽20厘米 厚18厘米

Watch inlaid among flowers with vase and music box

Britain　Eighteenth century
Gilded bronze and agate　51×20×18 cm

　　表由底座和花瓶二部分组成。铜镀金骨架包镶玛瑙底座是乐箱，内有音乐机械装置。乐箱顶部平台四角有料石花。铜镀金骨架包镶金星料石广腹花瓶放在乐箱上，瓶中插一束花，花束中有一圆盘，圆盘中央是白珐琅二针表盘，周围是白料石小花朵，花朵在音乐伴奏下能转动。

　　由伦敦James Cox制造。

120

铜镀金花瓶式表

英国　18世纪　高157厘米　底49厘米见方

Watch inlaid on a vase

Britain　Eighteenth century
Gilded bronze　157×49×49 cm

　　由底座和大花瓶组成。镀金底座内有音乐及活动玩意的机械装置；底座正面和两侧面有乡村风光景观，景中有活动人物、动物。架鸟扛枪的猎人站立在底座上平台的四角；大花瓶位于平台中央，一大束嵌料石花插在瓶中；瓶腹有料石转花，二针小表嵌在瓶颈上。

　　表演机械上弦后，底座人物、动物移动，瓶中几朵大花的花瓣可以开合，瓶腹部花转动。小表的机芯上刻"John Hesigal"。

119

120

121

铜镀金转花跑人犀牛驮表
英国　18世纪　高134厘米　宽70厘米　厚87厘米

Watch mounted on the back of rhinoceros
Britain　Eighteenth century
Gilded bronze　134×70×87 cm

　　底座铺红丝绒，座上堆铜镀金山石，山石上四只大象支撑乐箱，乐箱正、背面是联动跑人。乐箱平台上有一犀牛，背部饰玻璃料石花，驮一圆盘，盘上饰小料石转花。圆盘上方立双面小表，具有走时、打点两种功能。

　　启动后，洪亮乐声响起，乐箱上跑人在景前移动，料石花旋转。

122

铜镀金规矩箱四面表
英国　18世纪　高44.2厘米　底24厘米见方

Clock with four dials
Britain　Eighteenth century
Gilded bronze　44.2×24×24 cm

　　三层楼阁式，木壳外包镶玛瑙、青金石薄片，再罩以精细的铜镀金镂空花罩。打开底层的两扇小门，露出三层抽屉，抽屉里分别放反光镜、望远镜、梳妆镜、小刀、胭脂盒等。中层是乐箱。上层四面安置表盘。

　　此表设计独特，造型别致，走时准确，是英国四面表的代表作品之一。由伦敦德鲁利制造。

123

铜镀金镶玛瑙柜式音乐小表
英国　18世纪　高33.5厘米　宽12.7厘米　厚8.5厘米

Music watch
Britain　Eighteenth century
Gilded bronze and agate　33.5×12.7×8.5 cm

　　红玛瑙柜式表分为两层。下层内设音乐机械装置。打开上层关闭的两扇精致小门，可以看见里面装有香水瓶、小刀等化妆用品。两针表位于柜顶，表上端有天文仪模型。

　　由伦敦James Cox制造。

121

124

铜镀金镶珠钻石如意表
英国　18世纪　如意长45厘米

Watch inlaid on *ruyi* scepter
Britain　Eighteenth century
Gilded bronze, pearls and diamonds
Length of the *ruyi* scepter 45 cm

　　如意为铜镀金质，上面嵌有各色料石及珍珠。在云头处嵌小表，尾部嵌指南针。腰部有油画。此表配有钥匙及黄色绦带，带上系花篮式中国结，结下有流苏，并系红珊瑚球两粒。

　　此表是中西合璧之作，如意是广州制造，表为英国制造。

　　如意是吉祥、喜庆之物，盛行于清代。每年帝后万寿、千秋节，均有大臣进贡。

125

铜镀金饰玛瑙望远镜式表
英国　18世纪　长10厘米　宽4厘米　表径1.9厘米

Watch inlaid on telescope
Britain　Eighteenth century
Gilded bronze and agate　10×4 cm
Diameter of the watch 1.9 cm

　　望远镜镜身包镶玛瑙及铜镀金西洋花纹。表嵌于物镜盖的中间，周围镶嵌彩色料石。当观景时将物镜盖取下，即可使用望远镜。

124

125

126

铜镀金壳嵌画珐琅挂表
英国　18世纪　直径13.4厘米　厚5.7厘米

Watch with enamel painting
Britain　Eighteenth century
Gilded bronze and enamel　13.4×5.7 cm

　　此表有表套，可与表分开。表套正面开孔，露出表盘。表套背面是一幅珐琅画，一对男女在树阴下相倚而坐。珐琅画周围饰镂空花纹。表壳铜镀金质，后盖为镂空花纹。白珐琅盘上有二个铜镀金针。

　　此表是一件挂表，可以挂在床头或轿子中。

127

铜镀金铜质盘怀表
英国　18世纪　直径5.5厘米　厚2厘米

Pocket watch with decoration on its back
Britain　Eighteenth century
Gilded bronze　5.5×2 cm

　　铜镀金表壳，铜色表盘，二针表，表盘上上弦。机芯以发条盒、塔轮、链条为动力源，带动齿轮传动系统走时。在摆轮上装饰一条金龙，又将机芯后背板刻出树林花纹。附钥匙及表链，表链制作精细。

　　上弦后表走时，打开表的后盖，可以欣赏到金龙在树林间穿梭游动。此表为18世纪英国伦敦著名钟表制作者Clay制作。

126

128

铜镀金嵌珠石杯式表
英国 18世纪 通高8.5厘米 厚4.2厘米

Watch in the center of vase
Britain Eighteenth century
Gilded bronze, gems and pearls 8.5×4.2 cm

　　表为带盖杯子式样。绿玛瑙镶镀金铜镂花板装饰，八角穹形盖，花饰及盖顶嵌珍珠和宝石。打开杯盖，可见杯身内平置一小表，直径3.2厘米，白珐琅表盘，单套双针，在表盘上上弦。

　　此表是18世纪英国伦敦著名的钟表制作家**Charles Cabrier**的作品。

129

铜镀金壳嵌玛瑙灯表
英国 18世纪 直径6.6厘米 厚15.5厘米

Watch with lamp
Britain Eighteenth century
Gilded bronze and agate 6.6×15.5 cm

　　表的外观像一个六面体，以铜镀金为骨架包镶玛瑙。其内中空，放一盏玻璃罩灯。六面体的铜镀金顶盖其实也是灯的盖子。底部正面有一个圆形按钮，按下，灯徐徐升起，不用时，可把顶盖向下按，灯即被固定回原位。二针白珐琅表盘嵌在正面，在盘面6至7点位置上有上弦孔。

　　此灯表既可观时又可照明。

128

130

铜镀金壳画珐琅怀表

英国　18世纪　直径5.6厘米　厚3.3厘米

Pocket watch with landscape decoration
Britain　Eighteenth century
Gilded bronze and enamel　5.6×3.3 cm

　　铜镀金嵌珐琅画表套，可与表分开，表套正面开孔，正好将表盘露出，背面嵌微绘建筑风景珐琅画。表壳铜镀金质，素面无纹饰，白珐琅表盘，两针，在表背壳上弦。机芯后夹板、游丝夹板上镂雕花纹。

　　机芯后夹板刻作者"John Stockford"名款，为英国伦敦的钟表匠。

131

铜镀金黑皮套珐琅画表

英国　18世纪　直径4.8厘米　厚3.5厘米

Watch with figure decorations
Britain　Eighteenth century
Gilded bronze and enamel　4.8×3.5 cm

　　黑鲨鱼皮嵌金花表套，可与表分开。玻璃表蒙，弧度较大，白珐琅表盘，表盘中间绘一华装女子，单套双针，通过表盘上的弦孔上弦。表后壳外面中间绘一女神手抚五弦琴，小天使拨动琴弦弹奏的情景；侧面开光处绘四幅自然风光珐琅画；里面亦绘河流行船风景珐琅画。附银质梅花索子链。此表珐琅画绘制精细，用色丰富，为同时期珐琅怀表中的精品。

　　机芯有"Samuel Jaquin"款识。

132

铜镀金牧羊风景珐琅画八角形表

英国　18世纪　高3.2厘米　直径4.8厘米

Octagonal watch with enamel decorations
Britain　Eighteenth century
Gilded bronze and enamel　3.2×4.8 cm

　　表为八角立盒式样，盒周身用铜片包镶10幅珐琅画。其中盒盖画面为田野小径之上一年轻男子双手捧鸟笼，一年轻女子正在将一只小鸟放入笼中，旁有小孩和羊。盒底绘一女子牧羊之暇倚坐在山坡上吹箫，悠扬的箫声引得羊儿都侧耳倾听，忘了吃草。画面上自然风光明媚，人物表情恬淡自然，颇具田园意趣。盒身侧面镶嵌的其他八幅珐琅画都是风景和花卉。打开盒盖，可见盒身内平置一表，绿色表盘，单套双针，在表盘上上弦。

　　此表是18世纪英国伦敦著名的钟表制作家Charles Cabrier的作品。

131

132

英国钟表

133

铜镀金仕女吹笛珐琅画怀表
英国 18世纪 直径6.2厘米 厚4厘米

Pocket watch with the design of flute-playing girl
Britain   Eighteenth century
Gilded bronze and enamel   6.2× 4 cm

    铜镀金嵌珐琅画表套，表套正面开孔，正好将表露出，套背面嵌裸体女子珐琅画。表壳铜镀金质，打开壳后盖，可见机芯盖上嵌女子抚琴珐琅画，女子头上有一个能左右摆动的六角星。白色珐琅表盘，其上罗马数字明显凸起，黑色二针。在3点位置上弦，6点位置开机芯盖。机芯由发条盒、链条、塔盘轮组成，经传动系带动摆轮机轴擒纵机构的运行及走针齿轮指示时间。六角星连着圆摆，圆摆带动六角星的左右摆动，做工独特。

    机芯上刻"Henry Debary London"。

134

铜镀金壳画珐琅怀表
英国 18世纪 直径5厘米 厚2厘米

Pocket watch with the design of Madonna and Child
Britain   Eighteenth century
Gilded bronze and enamel   5×2 cm

    铜镀金嵌珐琅画表套，可与表分开。表套正面开孔，正好将表盘露出，套背面内、外分别嵌风景和母与子珐琅画。表壳铜镀金质，二针白珐琅表盘，盘上有上弦孔。

    机芯上刻有"Thomas Hunter"的作者名款。

133

135

银嵌珐琅怀表

英国　18世纪　直径5.7厘米　厚4.2厘米

Pocket watch with lady design
Britain　Eighteenth century
Silver and enamel　5.7×4.2 cm

　　银质表壳，白珐琅表盘，表盘上的数字明
显突起，双针，有一套动力源，通过表盘上的弦
孔用钥匙上弦。表后壳中空，可看到机芯游丝摆
上的保护盖上的西洋仕女珐琅画。仕女头上方
有一小金星，通过一铜片与游丝摆的摆轮固定，
摆轮摆动时，带动小金星沿画边缘左右摆动。

　　此表式样古朴，机芯塔轮、发条盒大而厚，
使得整个机芯变厚，从外观上看，表几近于圆
形。配有做工精细的贝叶形索子链及钥匙。

136

铜镀金仕女戏鸽珐琅画怀表

英国　18世纪　直径6.5厘米　厚3厘米

Pocket watch with the design of girls playing with doves
Britain　Eighteenth century
Gilded bronze and enamel　6.5×3 cm

　　铜镀金珐琅表壳。背面是一幅精美的珐琅
画，画中两位美丽的欧洲淑女头披绣花巾，身着
鲜艳的衣裙，正在聊天。两只雪白的鸽子倚在她
们之间，仿佛在听她们讲述。白珐琅二针表盘口
圈处镶嵌红、绿料石。此表有一表链，链头上系
钥匙。此表整体较厚，是早期的怀表。

137

铜镀金嵌玻璃珍珠带扣表

英国　18世纪　长6.4厘米　宽4.5厘米　厚1.7厘米　表径1.7厘米

Watch inlaid on a buckle
Britain　Eighteenth century
Gilded bronze, pastes and pearls　6.4×4.5×1.7 cm
Diameter of the watch　1.7 cm

　　带扣铜镀金质地，正面用铜丝镶出花叶纹
样，再在花纹中嵌珍珠和红绿蓝色料石。小表
放在带扣主体中间的凹槽中，上面用中空的盖
扣紧固定，打开盖，可以将小表取出。小表为单
针，从表盘上上弦。带扣后面有两个穿孔，可以
将其穿附在带子上，是一件实用性的小表。

135

136

137

138

铜镀金嵌玛瑙玻璃规矩箱表
英国 18世纪 高6.5厘米 宽8.7厘米 厚6.7厘米

Watch inlaid in the inner side of
the cover of a box
Britain   Eighteenth century
Gilded bronze and agate   6.5×8.7×6.7 cm

　　规矩箱用镀金铜饰片包镶玛瑙片为外壳，
铜镀金饰片雕花卉卷叶动物纹。箱上盖内侧嵌
小表一块，表居于中心，白珐琅表盘，双针，在
表盘中上弦。表盘周围围绕8朵红地白色料石
花，上弦启动后，每朵花能自转，同时还能共同
绕表盘呈顺时针方向转动。箱体里面中心凹陷
处安置指南针，周围槽内放香水瓶、剪刀、镊
子、镜子、小刷、记事象牙片等规矩。是一件玩
赏实用兼具的精致之作。

139

铜镀金镶玛瑙壳怀表
英国 18世纪 直径4.6厘米 厚3厘米

Pocket watch with agate decoration
Britain   Eighteenth century
Gilded bronze and agate   4.6×3 cm

　　铜镀金镂空花壳，镂空花间镶有红白花玛
瑙。正面有白色二针表盘，后盖铜镀金上镶有料
石。表上端有细长的表颈，表明应配有表套，但
现无存。表环中有铜镀金表链，玲珑剔透的表链
上系钥匙。打开表后盖，机芯以发条盒、塔轮、
链条为动源，带动走时齿轮传动系统。此表又是
问表，如果想知道当前时间，按一下表柄，表即
报时报刻。

138

故宫钟表图典

2 1 2

140

铜镀金嵌珐琅瓶式小鸟音表
英国　18世纪　高21厘米　长8.4厘米　厚4.7厘米

Watch with vase and bird
Britain　Eighteenth century
Gilded bronze and enamel　21×8.4×4.7 cm

　　长方体底座，四面在铜镀金底胎上烧珐琅画。瓶腹嵌小表，白珐琅表盘，双针，表后壳可打开，从里面的弦孔上弦，有两套发条动力源。瓶顶立一活动小鸟，控制小鸟活动、鸣叫的机械装置安在底座内，通过拉杆与上面的小鸟各部位相连。在底部上弦启动后，小鸟身体左右摆动，张嘴鸣叫，翅膀扇动，活灵活现。在表盘下面有钟表快慢调节阀，下面有鸟音叫止阀。

　　此表为18世纪著名的钟表和音乐鸟制作大师Jaquet Droz的作品。

141

金壳祥龙珐琅画打簧表
英国　19世纪　直径3.9厘米　厚1.2厘米

Watch with dragon and courting design
Britain　Nineteenth century
Gold and enamel　3.9×1.2 cm

　　金质珐琅表壳。表壳正面蓝色珐琅上有四爪金龙，壳内打印"18K"字样。壳背面为一幅珐琅画，花丛中有一对男女，女士看书，男士弹琴。左上侧有凸柄，用来校对时间。打开表壳，露出白珐琅表盘，盘上有大三针。此表除走时外，还具有报时、刻、分功能。

142

铜镀金嵌玻璃瓶式表
英国　19世纪　高14.6厘米　宽5.2厘米　厚2厘米　表径1.7厘米

Watch inlaid on a vase
Britain　Nineteenth century
Gilded bronze and pastes　14.6×5.2×2 cm　Diameter of
the watch 1.7 cm

　　小瓶以镀金雕铜花饰为骨架，内镶红色玻璃片而成。瓶腹正面嵌双针小表，从瓶背后上弦，共有三个弦孔，分别负责走时、校准、奏乐。瓶盖取下即为钥匙。

140

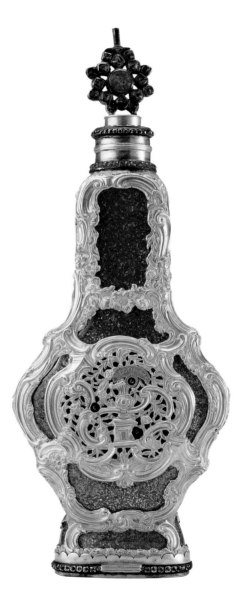

141

142

143

洋金壳嵌珠缘双面活动人物怀表

英国　19世纪　直径6厘米　厚2.9厘米

Pocket watch with moving figures
Britain　Nineteenth century
Gold, enamel and pearls　6×2.9 cm

　　表壳边缘镶珍珠。表正面有双人打钟珐琅画片。白色珐琅表盘居于画面正中，二针表盘上在3点处有上弦孔。报时、报刻时，二人敲钟发出"叮当"声。表壳背面嵌珐琅画，画面是两个人打羽毛球。当开关启动后，羽毛球在两人球拍间来回穿梭，直到弦松弛。

　　此表在有限空间里，巧妙地对打点打刻技术进行改进，在机械构造上进行新的排列组合，把原来在钟上使用的敲钟人报时刻技术运用到表上。

144

铜镀金珐琅听箫图怀表

英国　19世纪　直径6厘米　厚1.6厘米

Pocket watch with the design of listening to music
Britain　Nineteenth century
Gilded bronze and enamel　6×1.6 cm

　　铜镀金珐琅表壳，白珐琅表盘上嵌两个铜针。表盘下方小盘为走秒盘，此盘的设置为此表增添了活力。表壳背面是珐琅画，一小姑娘吹箫，两位女士在旁欣赏。

143

145

铜镀金壳明摆表

英国　19世纪　直径5.6厘米　厚1.5厘米

Pocket watch with white dial

Britain　Nineteenth century
Gilded bronze　5.6×1.5 cm

　　铜镀金表壳，白珐琅表盘，三针。打开表蒙，通过表盘上的上弦孔用钥匙上弦。表后盖为一透明玻璃，机芯齿轮系用铜罩覆盖，其摆轮硕大，满嵌白色料石，与金色相映衬，显得光璨夺目。

146

铜镀金珐琅嵌钻石怀表

英国　19世纪　直径6厘米　厚1厘米

Pocket watch with floral design

Britain　Nineteenth century
Gilded bronze, enamel and diamonds　6×1 cm

　　正面白珐琅表盘，三针。后盖蓝色珐琅面上用钻石镶嵌成十分精致的团花图案，蓝白相间，引人注目。表前后盖及表把边缘饰蓝地透明珐琅嵌金银片花草，密而不乱。打开后盖用钥匙上弦。所配表链和钥匙制作也相当考究。似专门为中国市场制作。

147

金烧蓝嵌珠椭圆盒嵌表

英国　19世纪　盒长9厘米　宽4厘米　直径2.6厘米

Watch inlaid on the cover of an oval box

Britain　Nineteenth century
Gold, enamel and pearls　9×4 cm　Diameter of the
watch 2.6 cm

　　金质珐琅盒内可放化妆品或首饰，盒缘口嵌一圈珍珠。盖中心置一白色珐琅三针小表，表口镶珠。此盒表简单而实用。

146

147

法国钟表

张楠平

法国是欧洲较早制造钟表的国家之一。1370年法国人亨利·德维克开始制造钟表[1]。1396年法国人发明了冠状擒纵机构[2]。欧洲的文艺复兴，使人们的思想冲破了宗教的束缚，社会生产力和科学技术以及文学艺术得到空前的发展，在这样的社会背景下必然会促进机械钟的逐渐完善。1459年，法国钟匠为国王查理七世制作了第一座发条钟[3]。1535年至1558年间法国各地制造了许多优良的建筑造型的塔钟、四面钟、自动钟，后来又出现了摆钟，法国成为制造钟表的重要产地之一。18世纪末，随着工业革命的不断发展，机械生产代替手工制作，极大地促进了法国钟表业的发展，到了19世纪末钟表已普遍生产和使用。

法国人最早从荷兰的阿姆斯特丹港运进中国的工艺品。17世纪末，中法开始了海上直接贸易。法国一、二代国王都是热情的收藏家，对中国的丝织品和瓷器等表现出极大的兴趣。到18世纪，海上航运得到进一步发展，为日益频繁的中法文化和艺术交流提供了便利条件。当时清宫里的自鸣钟、西洋瓷器、家具、地毯等西方工艺品，一部分就是从法国输入的，从广州往法国运输货物比广州往内地偏远地区运货还要方便。法国巴黎L.VRARD公司专门销售法国制造的钟表，该公司分别在1860年、1872年、1881年于上海、天津、北京设立公司，专营法国制造的钟表[4]，因而我们目前所见到的法国钟表，多为19世纪末的产品。

法国钟表的历史虽然较早，但清宫保存下来的钟表制造年代均较晚，数量也比英国钟少，多为19世纪末、20世纪初的产品。其中大型钟表较少，中型钟占多数。钟的外壳取材多样，其中铜镀金占多数，铜镀金嵌珐琅也有一定数量，还有木质和瓷质的。钟上铸造的人物雕像多取材于古希腊神话，明摆多为水银摆锤和蝴蝶、小鸟造型的铜镀金摆锤。法国制造的钟表的共同特点为：零部件加工精度高，夹板光亮，齿轮及各种零件表面的光洁度很好。在白色珐琅钟盘下方边缘处，或在机芯后夹板上注有MADE IN FRANCE的字样。

法国钟表与其他国家钟表不同，个性鲜明，时代感强。如果说故宫博物院收藏的进口钟表18世纪以英国钟表最具有代表性，那么19世纪末20世纪初法国钟表应当占有重要地位。丰富多彩的造型展示了法国钟表特有的艺术风格。以重锤为动力的法国钟表构思巧妙，造型别致，如铜升降压力钟、铜镀金滚钟、铜镀金滚球压力钟等，这一类型钟表具有创新精神。通过钟表模型展示当时世界上最先进的科技成果，是法国钟表的又一特征，如热气球载人钟、铜质汽车模型表、铜制火车头模型表等。

故宫博物院收藏的19世纪末至20世纪初的法国钟表风格鲜明，设计新颖，独树一帜，在世界钟表史上写下光辉的一页。

[1] 李豫：《钟表春秋》第103页，学术期刊出版社，1988年。

[2] 陆燕贞主编：《清宫钟表珍藏》第26、30、222页，香港麒麟书业有限公司、紫禁城出版社联合出版，1995年。

[3] 陆燕贞主编：《清宫钟表珍藏》第26、30、222页，香港麒麟书业有限公司、紫禁城出版社联合出版，1995年。

[4] 陆燕贞主编：《清宫钟表珍藏》第26、30、222页，香港麒麟书业有限公司、紫禁城出版社联合出版，1995年。

French Timepieces

By Zhang Nanping

France was one of the earliest countries to produce gadgets for telling time. In 1370, Henry De Vick began to produce timepieces. In 1396, a Frenchman invented the crown-wheel escapement mechanism. The Renaissance in Europe allowed people to break through the bondage of religion, and productivity, science and technology as well as literature and art developed in unprecedented ways. Against this background, the technology of mechanical clocks was further perfected. In 1459, clock craftsmen in France made the first spring wound clock for King Charles VII. In France from 1535 to 1558, many excellent tower clocks, four-sided clocks, and automatic clocks in the shapes of buildings, and later pendulum clocks were made, highlighting France's importance in timepiece production. At the end of the eighteenth century, with the development of the Industrial Revolution, mechanic took the place of manual production, greatly promoting the development of the clock and watch industry in France. By the end of the nineteenth century, timepieces were being widely produced and used.

Since the late seventeenth century, China and France had direct sea trade. In the eighteenth century, sea-going vessels were further developed, providing convenient conditions for the frequent cultural and artistic communication between China and France. Western products such as chime clocks, porcelain, furniture, and carpets for the Qing Palace were partly imported from France. Transporting goods from Guangzhou to France was more convenient than transporting goods to remote inland areas. The L.VRARD Company in Paris specialized in selling French timepieces. In 1860, 1872, and 1881, it respectively established subsidiary companies in Shanghai, Tianjin, and Beijing. Therefore, the French timepieces we see today were mostly produced in the late nineteenth century.

Although French timepieces had been made for many centuries, those in the Qing Palace mostly date from the late nineteenth century and the early twentieth century, among which a large percentage were medium-sized clocks. The clock cases are made of a variety of materials. Most are gilded bronze; some are gilded bronze with enamel inlay; some are wood and porcelain. Most of the figures embellishing the clocks are from ancient Greek myths. The pendulums were mostly mercury or gilded bronze pendulums in the shapes of butterflies or birds. Typical features of French timepieces include high precision in component parts, bright veneer, as well as a high degree of finish on the surfaces of gear wheels and other parts. At the edge of the lower part of the white enamel clock dial, or on the rear panel of the mechanism, there are the words "Made in France."

Distinctive from those produced in other countries, the French timepieces have outstanding characteristics and reflect contemporary society. The French timepieces powered by heavy pendulums have artful designs and unique shapes, such as the copper clock motivated by gravity, gilded bronze rolling clock, and gilded bronze pressure clock with rolling ball. The timepieces capture the most advanced scientific achievements in the world at that time, such as models of a hot air balloon, a copper automobile and a locomotive.

148

铜镀金滚钟

法国　19世纪　直径13厘米　厚9厘米

Rolling clock

France　Nineteenth century

Gilded bronze　13×9 cm

　　此钟是以钟表本身的重力为动源带动齿轮转动的无发条的机械钟。整个钟体由外面的钟壳和里面的机芯组成。在钟壳中心部位装有一个固定的小轮，与机芯内的偏心轮相咬合，这是钟表与机芯的惟一接触点。在机芯两夹板的左后方装有一坠砣。当滚钟被放至倾角为10°的坡板上面时，钟壳由于重力作用开始向下滚动，使中心小轮亦随之转动。而机芯由于坠砣的作用仍继续保持原状，不和钟壳及中心小轮同步运行，这就使机芯内的偏心轮保持了相对静止状态。中心小轮和偏心轮这一动一静之间产生的动源，带动机芯内的齿轮系统运行，从而巧妙地解决了钟表的动力源问题。

　　坡板长55厘米，滚钟走完这段距离正好24小时，无论滚钟在坡板的什么位置，机芯的状态不变，即表盘上12时和6时的位置总保持垂直方向。钟壳外夹板边缘有细微的小齿，以增加钟体与坡板的摩擦力，保证钟体匀速下滑。

　　表盘上有"L.VRARD & Co. TIENTSIN. Made in France"字样，可知此表为L.VRARD公司天津分公司在中国经销的产品。

149

铜镀金飞人钟
法国　19世纪　通高54厘米　底径24厘米

Clock with winged goddess
France　Nineteenth century
Gilded bronze　54×24 cm

　　钟为圆亭式样，亭周围安玻璃，底座、上部及玻璃框均镶嵌錾胎素三彩珐琅片，亭顶端蹲立一有翅膀、兽身人面的女神。钟为三针，水银平衡摆。

　　钟盘面有"L.VRARD & Co. TIENTSIN. MADE IN FRANCE"字样。VRARD公司是19世纪末20世纪初在中国经营钟表的著名瑞士贸易公司，曾在上海、北京、天津建立分公司。此钟就是该公司天津分公司经销的产品。

150
铜镀金珐琅座钟
法国 19世纪 通高42厘米 宽31厘米 厚19厘米

Desk clock
France Nineteenth century
Gilded bronze and cloisonné 42×31×19 cm

　　钟壳为四方亭式,铜镀金质,四立柱,钟身
正面和左右侧面均饰錾胎珐琅花纹。正面钟盘
下方及左右两侧嵌微绘人物画珐琅瓷片,为小
爱神与仙女形象。钟为两套两针走时报时钟。

　　钟盘上有"SENNET. FRERES. PARIS-
CHINE"字样,机芯背板上钤有"AD.
MOUGIN"等字样的圆形印记及"Made in
France"的产地标志。SENNET FRERES公司为
19世纪末20世纪初在中国经营钟表、珠宝的贸易
公司,在中国设有分公司。此钟是由该公司在中
国销售的法国AD.MOUGIN制钟厂制造的精致
产品。

151

铜制热气球式钟
法国 19世纪 通高60厘米 球径16厘米

Clock with hot air balloon
France Nineteenth century
Copper Height 60 cm Diameter of the balloon 16 cm

　　此钟大理石基座上立一铜柱，柱头处伸出一横杆，以支撑球形钟表。球正面为单套两针钟表的钟盘，钟机装在球体内。球外用铜丝绳拉网罩于球上，网下坠一筐，筐里立一位手持船锚的海员。球体下部正中垂下一杆，为钟摆，下面的摆锤置于筐内，与筐连在一起，摆锤的上下位置可以通过旋钮调节。支架支撑气球处为活轴，上弦启动后，球内机芯动力摆带动球体摆动，球外的筐也随之同步摆动。

　　19世纪时，欧洲科学家多次实验乘坐氢气球升空探测大气奥秘，这件钟表的造型反映了欧洲当时的这一科技活动。

152

铜镀金嵌珐琅鸟音钟
法国 19世纪 通高57厘米 宽29厘米 厚19厘米

Clock with chirping bird
France Nineteenth century
Gilded bronze and enamel 57×29×19 cm

　　钟壳为铜镀金质，由底座、布景箱、钟表组成。底座里装置音乐及鸟鸣机械，座周围镶嵌青年男女约会的珐琅画片。中部布景箱内绘田园风光的背景，前有山石，石上站立一自鸣小鸟。上部为一套两针钟，为格雷汉姆式擒纵器，擒纵钳横向，嵌宝石摆叉，露在外面成为明摆。钟上饰双鸽铜雕，极具趣味。钟表之机芯不与底座的机械联动。在底座上弦启动后，先打乐，乐声之后鸟鸣，小鸟同时张嘴、摆头、摇尾，形象极为生动传神。

151

152

153

铜镀金蓝瓷奖杯式钟

法国 19世纪 通高56厘米 宽35厘米 厚23厘米

Clock with trophy

France   Nineteenth century
Gilded bronze and porcelain   56×35×23 cm

　　钟为蓝瓷花瓶式样，羊头人面式耳，杯式
顶，底座及周身用镀金铜雕花饰包镶，铜饰雕
刻精细华美，与瓷瓶的蓝色形成强烈对比，明快
庄重，极富艺术趣味。瓶腹嵌走时报时两套两针
钟，通过前面表盘上的弦孔上弦。

　　机芯后夹板上钤有"MEDAILLE
DARGENT L.Martiet Cie 1889"字样的圆形印
记，可知此钟为法国L.Martiet钟厂于1889年制造
销往中国的产品。

154

铜镀金蝴蝶摆鸟音钟
法国 19世纪 通高55厘米 宽25厘米 厚17厘米

Clock with butterfly-shaped pendulum and chirping bird
France Nineteenth century
Gilded bronze 55×25×17 cm

钟壳为铜镀金质，由底座、布景箱、钟表组成。底座里装置音乐及鸟鸣机械。中部布景箱内山坡间站立一自鸣小鸟，鸟后面有一蝴蝶左右移动，实际上是上面钟表长摆的摆锤。上部为一两套两针钟，钟上饰双鸽铜雕，展翅对鸣，极富趣味。钟表之机芯不与底座的机械联动。

在底座上弦启动后，先打乐，乐声之后鸟鸣，小鸟同时张嘴、摆头、摇尾，形象极为生动传神。钟上部的鸽子、四立柱上的橄榄枝装饰给人以和平宁静的感觉。

155

铜镀金滚球压力钟
法国 19世纪 通高53厘米 宽29厘米 厚25厘米

Clock with rolling balls
France Nineteenth century
Gilded bronze 53×29×25 cm

此钟铜镀金质，正面为一两针时钟，钟盘上露明摆。整个钟无发条，以球体压力为动力源，带动机芯运转。其结构独特，机芯后部有一大轮盘，盘周圈等分12格。最上部为储藏盒，可储18个钢球，每个球重250克，钟底部的抽屉储存滚下的钢球。先将4个钢球装入轮盘格内，轮盘即可转动，后面的钢球便依次从上面的储藏盒中滚入轮盘。钢球的重量使轮盘受压，沿顺时针方向转动，轮盘触动齿轮，带动机芯摆动走时。每隔16小时，便有一钢球滚入底部抽屉，再由上部的储藏盒中滚入一球补充，如此循环使用，计时永不停止。

不用发条，而以球体滚动带动钟表走时在钟表制作中是很少见的，故极为珍贵。此钟还附有寒暑表和晴雨表。

154

156

铜镀金饰蓝瓷瓶式钟
法国　19世纪　通高50.5厘米　瓶径33厘米

Clock inlaid on a blue vase
France　Nineteenth century
Gilded bronze and porcelain　50.5×33 cm

　　此钟主体为一铜胎蓝珐琅瓷瓶，其上的花
纹色彩淡雅，是典型的法国素三彩。瓶左右腹部
为铜制折枝花草形双耳，瓶与铜镀金底座粘连
在一起，上口饰王冠形铜镀金花边。瓶腹中央嵌
直径12厘米的钟，机芯有两套发条动力源，负责
走时和报时。
　　机芯后板上刻有PARIS（巴黎）字样，可证
确为法国的产品。

157

洋人戏法钟
法国　19世纪　高48厘米　长38厘米　厚23厘米

Clock with a magician
France　Nineteenth century
48×38×23 cm

　　这是一件中西合璧的钟表，座箱内装有小
八音盒，以银錾花须弥座为外壳，四足及中框镀
金，黄白相间别具一格。银座上是小舞台，台柱
及上沿坠洋瓷花朵，舞台背景上有船、人、马及
鸭循环运动。一位欧洲妇女手持两个小碗站在
八仙桌后面对观众，在悠扬乐曲伴奏下边摇头
边变戏法。她拿起杯子，杯下有两种东西，扣上
后再拿起，则变成另外两种东西，如此左右杯可
变换八种不同的东西。座表放置在变戏法人身
旁，是一套独立系统，中国制造，铜镀金表盘錾
刻双龙戏珠图案，由盘上单弦孔上弦，以中国
十二时辰计时，除走时外，还可报时。

158

铜镀金珐琅围屏式钟
法国　19世纪　通高62厘米　宽46厘米　厚19厘米

Clock with an arcade behind it
France　Nineteenth century
Gilded bronze and cloisonné　62×46×19 cm

　　铜镀金錾胎珐琅屏风式，呈半月形，色彩
鲜艳，工艺细致。中间一段为方亭状，内安走时
报时两套两针钟，表盘上只有时圈，没有分圈。
可调节式珐琅圆摆。
　　钟盘上有"J.Ullmann & Co.　HongKong.
ShangHai. TienTsin"字样，机芯后夹板有
"EDAILLE　DARGENT　L.Martiet Cie 1889"厂
标的圆形印记和"Made in France"的产地款识。
可知此钟为瑞士乌利文贸易公司在中国经销的
法国钟厂生产的钟表。

157

158

159

铜质升降压力钟

法国　19世纪　通高53厘米　宽30厘米　厚20厘米

Clock motivated by gravity
France　Nineteenth century
Copper　53×30×20 cm

　　大理石底座上架一四柱铜亭，方形钟身的八只支脚正好卡在钟亭四角铜柱里侧开的直槽里，成为钟体上下滑行的轨道。此钟没有发条，以钟表自身的重力为动力源。在右侧前后柱子中间镶着一根直齿条，与钟体右侧一个半露的齿轮相咬合，此齿轮即相当于其他钟表上的头轮，当将钟体托起升到上面时，钟体由于重力作用下坠，而齿轮由于与齿条咬合阻止钟体下沉，这一动一静之间产生动力，带动钟体内的走时系统。

　　使用时将钟体升到上面，即开始计时，六天后钟体降至底座，然后再将其升起，循环往复。

160

鸟音山子水法钟

法国　19世纪　高71厘米　长73厘米　厚38厘米

Clock with chirping birds, rockery and fountain
France　Nineteenth century
71×73×38 cm

　　模仿大自然景观式钟，红丝绒底座上布山石、梅树，山石前一湖，白鸭游于其中。钟嵌在山石上，除走时外，还可报时。右边矗立两株梅树，大树开红花，蝴蝶、翠鸟飞于其间，控制活动玩意的机械隐藏在树干中，牵动两鸟在树间飞来飞去，一鸟振翅作俯冲状，蝴蝶翩翩起舞。小树开黄花，一红鸟站树上，一套机械带动它转头鸣叫。树前一玻璃水法柱转动似小溪，一翠鸟在溪边低头饮水。

　　整个景物恬淡自然，生趣盎然。钟盘上有"亨达利"字样，可以确定此钟为亨达利中国公司经销的产品。

159

161

铜镀金嵌珐琅亭式钟
法国　20世纪　通高48厘米　底径27.5厘米

Clock in the center of a pavilion
France　Twentieth century
Gilded bronze and cloisonné
Height 48 cm　diameter at the bottom 27.5 cm

　　珐琅六柱圆亭式，用镂空珐琅彩卷叶花卉
装饰亭顶。钟为走时报时两套三针钟，钟盘上镶
嵌白瓷黑字的圆形瓷片指示时间，无分、秒标
识，水银平衡摆。

　　此钟为19世纪末20世纪初西方向中国所售
钟表的常见品种。

162

铜镀金珐琅四明钟
法国　20世纪　通高51厘米　宽32厘米　厚18厘米

Clock with transparent four sides
France　Twentieth century
Gilded bronze and cloisonné　51×32×18 cm

　　铜镀金錾胎珐琅亭式钟，四柱、底座、上顶
四周皆为錾胎素三彩珐琅，钟悬于亭内上部，四
面罩玻璃。钟为两套两针钟，可走时报时，水银
平衡摆。

　　钟面有"SENNET FRERES. PARIS-
CHINE"字样，机芯后夹板有"Made in France"款
识，可知此钟为SENNET FRERES公司在中国
销售的法国钟表。

161

162

163

铜镀金嵌珐琅四明钟
法国　20世纪　通高47厘米　宽25厘米　厚18厘米

Clock with transparent four sides
France　Twentieth century
Gilded bronze and cloisonné　47×25×18 cm

　　钟为方亭式，杯状顶，四柱间镶玻璃，铜件
上均饰素三彩珐琅花纹。钟置于亭内上部，为走
时报时两套两针钟，水银平衡摆。

　　钟盘上有"J.Ullmann & Co.　HongKong.
ShangHai. TienTsin"字样，机芯后夹板钤有
"EDAILLE　DARGENT"厂标的圆形阳文印记
和"Made in France"的产地款识。可知此钟为瑞
士乌利文贸易公司在中国经销的法国钟表。

164

铜镀金石座水法亭式钟
法国　20世纪　通高57厘米　底21厘米见方

Clock inlaid on the base of a pavilion
France　Twentieth century
Gilded bronze and stone
Height 57 cm　21×21 cm Bottom

　　大理石底座上立一方形高台，台正面有两
个钟盘，上为单套两针时钟，下为风雨寒暑表。
台上站立四仕女，背对背向外用双手托起圆形
建筑顶，建筑圆顶上四海兽尾上托一尖顶。四仕
女中间一水法柱与下面的钟机相连，水法定时
转动，形成喷泉景观。

　　此钟雕塑造型别致，金工细腻，为20世纪初
期西方钟表的精致之作。

163

164

165

铜镀金嵌料石把镜表

法国 18世纪 把镜长32厘米 宽10厘米 厚1.5厘米 表径3.5厘米

Watch mounted on the top of a mirror
France Eighteenth century
Gilded bronze and pastes 32×10×1.5 cm
Diameter of the watch 3.5 cm

此表将小表镶挂在梳妆用的把镜上。把镜背面通体铜镀金雕各式花纹，并镶嵌各色料石，正面为一椭圆形水银镜，镜周围饰花叶并嵌红色料石。镜把底盖可拧开，内装一只单筒可调式望远镜。镜上顶花环中间挂一小表，正面白珐琅表盘，单套双针，在表盘上上弦，后盖为蓝珐琅。

机芯后夹板有"PARIS"字样，为法国巴黎制造。

166

铜镀金葵花式表

法国 19世纪 通高26.5厘米 底径11厘米

Clock with sunflower design
France Nineteenth century
Gilded bronze Height 26.5 cm
diameter at the bottom 11 cm

花坛式底座之上立一株盛开的向日葵，层层花瓣中间嵌一单套双针表，表盘周围镶嵌黄白色料石，与金色的花瓣相映衬，显得光璨夺目。茎上盘绕一蛇，沿茎而上。

167

铜灯塔式座表

法国 19世纪 通高68厘米 底径25厘米

Watch with beacon design
France Nineteenth century
Copper Height 68 cm diameter at the bottom 25 cm

表为灯塔式样。上层正面安设走时报时的两套两针钟，通过表盘下部的弦孔上弦，表盘上方有调节走时快慢的拨针。表的右侧是温度计，左侧为风雨表，风雨表表盘上加写汉文"大旱、炎日、初晴、将晴将雨、初雨、大雨、雨猛风狂"等字样。

字的书写有的不很规范，不像中国人的手笔，可能是制作厂家或经销商为适应中国市场情况特意加上去的。上弦后，灯塔顶层可徐徐转动。

166

167

168

绿石嵌料石六角星形表

法国　19世纪　尖角直径17厘米　厚3厘米

Watch with hexagonal design

France　Nineteenth century

17×3 cm

　　此表为绿色石质，六角星形状，星边沿及表口圈处均镶白绿料石。中心是二针表盘，上有罗马数字及上弦孔。表背面有折叠的支架。

169

汽船式风雨表

法国　19世纪　高38.5厘米　宽44厘米　厚18厘米

Watch with steamboat design

France　Nineteenth century

38.5×44×18 cm

　　船身置于大理石座上。船身甲板上有两个圆筒，前面的上嵌单套两针钟表，通过表盘的弦孔上弦，后面的上嵌风雨寒暑表。两筒之间的烟筒顶为一指南针，侧面嵌温度计。开动船尾舵，圆筒按顺时针方向转动，船尾的驱动轮转动。船头尾插有铜镀金大小旗帜各一，大旗上刻龙纹图案，小旗上刻"万寿无疆"四字。

　　风雨寒暑表盘上标注"Made in France"字样，知其为法国产品，其进入清宫可能与帝后的祝寿活动有关。

170

铜制女神举表

法国　19世纪　通高58厘米　底14厘米见方

Watch held by goddess

France　Nineteenth century

Bronze　58×14×14 cm

　　女神铜像立于8.5厘米高的铜座上，左手握弓箭，右手擎球形摆钟。球正面为单套两针钟表的钟盘，1至12时的标识为一个个鼓形圆瓷片镶嵌在球面上。钟机装在球体内，球下面正中有一长条形口，挂钟摆的簧片从里面垂下。球体外为一铜环，铜环下部正中固定一长摆，摆长可通过旋钮调节。用铜环下面的挂钩将铜环挂在摆簧上，就成为钟摆。此钟造型独特，引人注目。

168

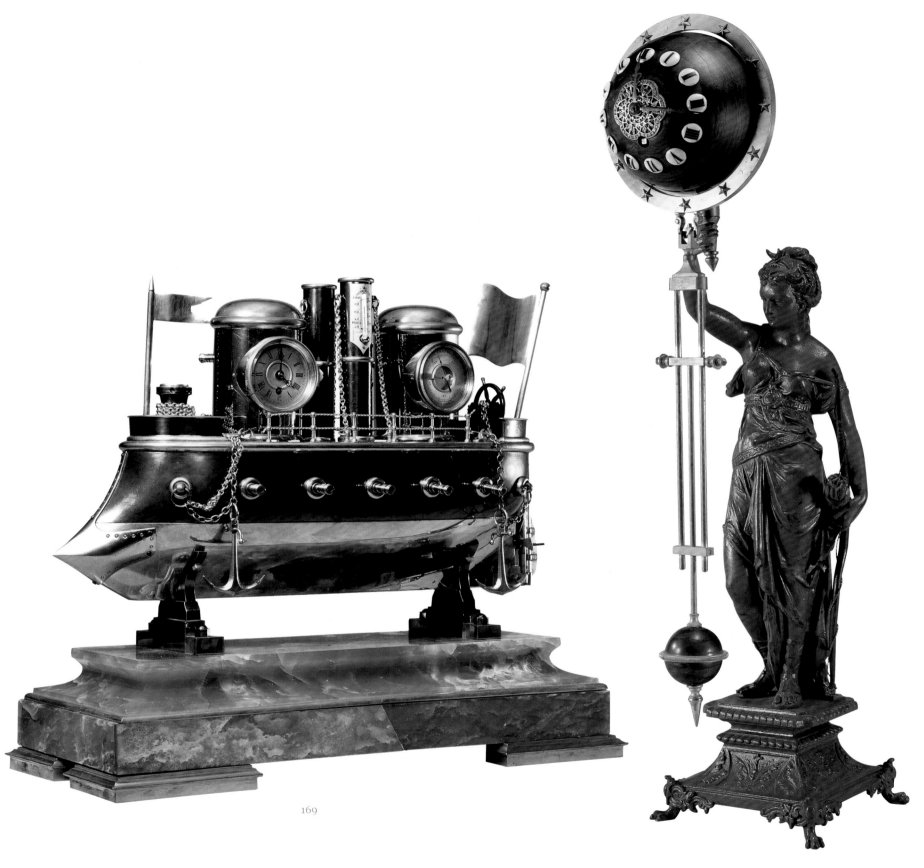

169

170

171

汽车式风雨寒暑表
法国 19世纪 高28厘米 宽42厘米 厚16厘米

Watch with automobile design
France Nineteenth century
28×42×16 cm

　　表为19世纪末20世纪初老式汽车模型，置于黑色大理石台座上。右侧车门上部安一单套双针时钟，下部为风雨表，左侧车门上嵌一温度计，方向盘右侧的手闸为汽车活动的开关，开启后，表走时，汽车轮转动。

　　时钟表盘上有"J.Ullmann & Co. HongKong. ShangHai. TienTsin"字样，温度计上有"Made in France"标记。为乌利文公司在中国销售的法国钟表产品。

172

火车头式表
法国 19世纪 高46厘米 宽52厘米 厚24厘米

Watch with locomotive design
France Nineteenth century
46×52×24 cm

　　火车头安设于黑色大理石基座的轨道上，内装有控制车轮转动的机械系统。驾驶室门上嵌走时报时两套两针表，锅炉侧面嵌风雨表，前面烟筒上嵌温度计。上弦启动后，车轮及驱动杆转动，犹如火车在轨道上行驶。

　　表盘上有"J.Ullmann & Co. HongKong. ShangHai. TienTsin"字样，机芯后夹板铃有"MEDAILLE DARGENT L. Martiet Cie 1889"字样的圆形印记，风雨表盘上有"Made in France"标记。为乌利文公司在中国销售的法国钟表制造商生产的产品。

171

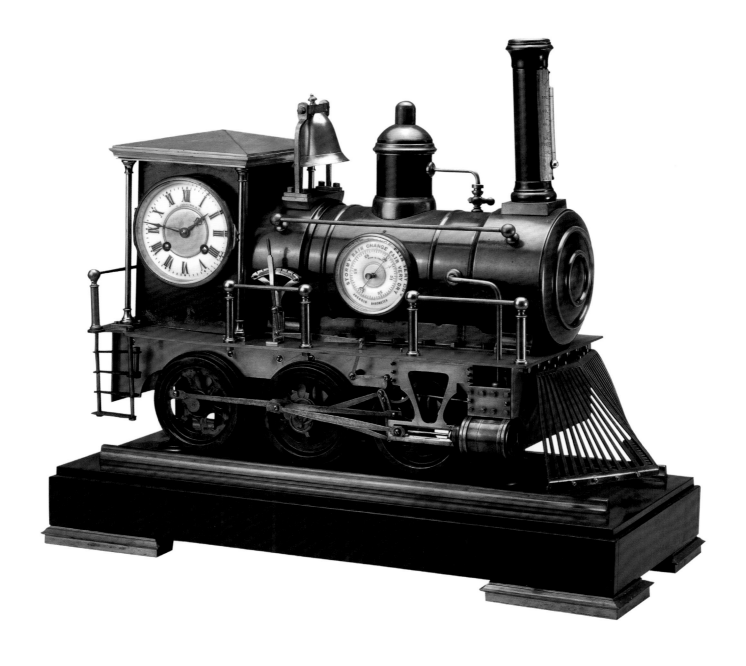

173

铜机器式轮表

法国　19世纪　高47厘米　宽36厘米　厚19厘米

Watch with wheel
France　Nineteenth century
Copper　47×36×19 cm

大理石基座上为一套两针表，表两侧各有一活塞缸，缸侧有炉。左炉上嵌风雨表，右炉上嵌温度表。表上部有一大风轮，与炉膛里的机械装置和活塞杆顶端的小齿轮咬合联动。开动机械，随着大风轮旋转，带动活塞上下移动，演示了蒸汽机械的基本原理。

174

洋铁转机风雨表

法国　19世纪　高28厘米　宽28厘米　厚24厘米

Watch with steam engine design
France　Nineteenth century
28×28×24 cm

此表为形象演示蒸汽动力原理的机械模型。横卧的圆筒形锅炉内安设带动上面演示部分的机械装置，锅炉右后方竖立的大轮中心安设齿轮，与内部机械装置相咬合，将动力机械上弦开启后，机械推动大轮运转，大轮带动活塞杆滑动，最上部的两粒小球随之张合，大轮与活塞杆的运动由慢到快，小球由合至张，达到最高速后，小球扩张到极限，并迅速收缩，大轮和活塞杆运动速度由快转慢，如此循环往复。锅炉前侧中间是温度计，左为单套双针表，右为风雨表。

173

175
铜风轮表
法国　19世纪　高47厘米　宽37厘米　厚20厘米

Watch with wheel
France　Nineteenth century
Copper　47×37×20 cm

　　大理石基座, 座中立一活塞罐, 左右似两座
锅炉, 左炉顶嵌单套双针表, 右炉顶嵌风雨表, 两
表之间有一温度计。炉上架一组演示机械, 竖起
的大轮中间有一组齿轮, 与活塞杆尾端的齿轮咬
合, 活塞杆尾端支起的圆圈中有两粒圆球。机械
启动后, 活塞杆上下滑动, 大轮转动, 圆圈中的两
球转动张合以调节快慢。

　　所嵌风雨表表盘上加写汉文"大旱、炎
日、天朗气清、风雨、疾风暴雨"等, 说明此表
是法国专为中国市场制作的产品。

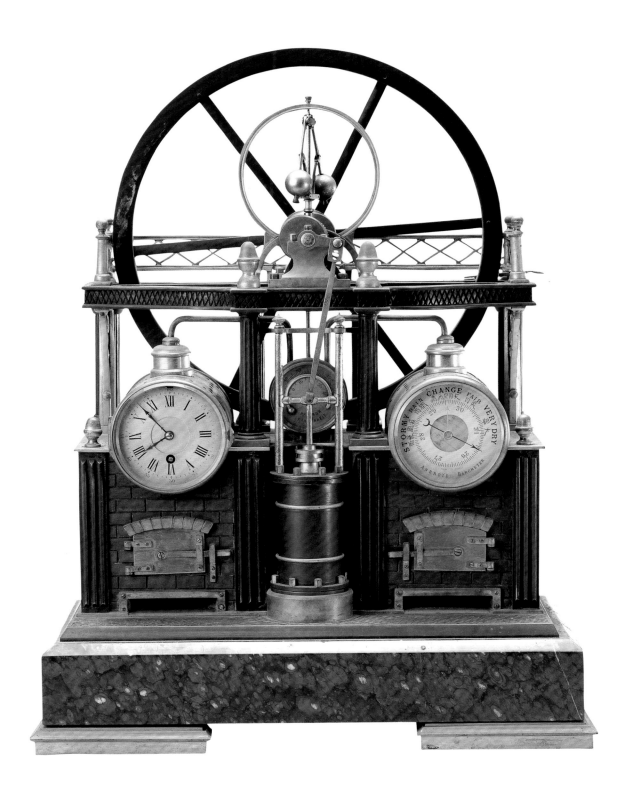

176

铜镀金奖杯式寒暑三面表

法国　20世纪　通高70厘米　底直径24厘米

Watch with trophy
France　Twentieth century
Gilded bronze　Height 70 cm　diameter at the bottom
24 cm

淡黄色大理石底座上立连在一起的三块表。其中正面为单套两针表；左为风雨表，表盘上标有"疾风暴雨、风雨、天晴气朗、炎日、大旱"等，可通过盘中心的指针得知当前的天气类型；右为温湿度计，通过玻璃柱内的水银读取数字。三表上架一珐琅顶盖瓷瓶，底座及三表盘周围均饰以素三彩珐琅纹饰。

正面表盘上有"J.Ullmann & Co. HongKong. ShangHai. TienTsin"字样，为瑞士乌利文公司销售的钟表。

177

玻璃盘挂表

法国　20世纪　直径40厘米

Pendant watch with glass dial
France　Twentieth century
Diameter 40 cm

挂表表盘硕大，而机芯却很小，直径只有3厘米，位于表盘中心处，其机械构造原理与手表相似，只不过将表针放大许多倍而已。机芯如此之小，暗藏不露，而表盘和表针又如此之大，形成强烈反差，设计可谓匠心独运。

此种产品可能是生产厂家的专利产品，故在表盘上部正中特别标注"PATENT"（专利）字样。

瑞士钟表

郭福祥

　　瑞士是举世闻名的钟表王国，然而这种情况并非自钟表产生以来就如此。

　　我们现在对瑞士早期的钟表历史所知甚少，和其他欧洲国家一样，瑞士钟表匠在社会上并不被看重，其地位也不高，因此历史记载相当模糊。由于群山阻隔，瑞士与欧洲其他低地国家如法国、德国、意大利等在钟表制作方面的交流甚少，早期钟表史上革命性的发明几乎与瑞士无缘。当时瑞士国内钟表从业人员很少，1515年，日内瓦圣皮埃尔大教堂的大钟需要修理，城里连合适的钟表师傅都找不到[1]。但这种情况很快便伴随着欧洲大陆的宗教改革运动而彻底改变，瑞士钟表制造从此进入了全新的历史阶段。

　　16世纪发生在欧洲的宗教改革运动以马丁·路德（Martin Luther）1517年发表《九十五条论纲》为开端，对罗马教皇为首的天主教会进行猛烈冲击，并脱离天主教成为新教各宗派，运动在许多国家迅速展开。尤其是在法国，新教徒们多是中小贵族和城市手工业者，其中很多是钟表匠和金工匠，他们严谨勤奋，好学不倦，富有远见，极具商业头脑。这些素质尽管令人敬重，但他们因反对国王专制和天主教的特权而受到世俗和教会保守正统派系的歧视和迫害，其领袖加尔文（John Calvin）在巴黎被驱逐出境，避难于巴塞尔，最后于1541年在日内瓦定居。此后，天主教派和新教教徒之间进行了几十年的内战，尤其是1572年圣巴托罗缪大屠杀之后，大批新教教徒背井离乡，追随着加尔文的足迹，逃离法国来到瑞士。他们之中有许多身怀绝技的钟表匠人，在相对稳定的环境中施展才艺，使瑞士成为钟

表工艺的摇篮。

　　1589年，新教首领亨利四世（Henri IV）继承法国王位，颁布"南特敕令"，提倡宗教并容，鼓励新教徒留在法国，这才遏止了法国钟表匠人向瑞士流动的状况。但好景不长，1685年法王路易十四废除"南特敕令"，新教教徒重遭厄运。几乎在一年之间，法国流失了数以十万计的精英分子，其中首饰和钟表业的翘楚多加入了瑞士难民的行列。

　　宗教迫害引发的两次难民潮成就了瑞士钟表业的发达，大量的钟表制作者在这里聚会、联合和交流技术，钟表制造成为瑞士重要的经济支柱产业。从业的人数越来越多，在日内瓦，1725年每10个市民当中就有2个人以钟表制造为业，到1788年则达到了4个，当时日内瓦市内及市郊大约有2万人以此谋生，年产钟表10万枚[2]。尤其是第二波流亡者中不但有拥有精湛钟表技艺的工匠，更有善于经营的企业家，他们将瑞士生产的钟表销售至欧洲其他国家、中国、波斯、君士坦丁堡及后来的美国，瑞士钟表自此名播世界。

　　中国和瑞士在钟表制作和贸易方面很早就有交流。1707年来华的瑞士祖格人林济各（Francois Louis Stadlin）自幼性嗜机械，尤其是对钟表制作技术精研有素，他的这一特长在中国得到了充分发挥。林济各抵京后，制造奇巧机械器物甚多，受到皇帝的赏识，成为宫中著名的钟表技师[3]。雍正时，他很可能已是清宫钟表制作的实际领导者。为了向中国销售瑞士钟表，通过中间商，"日内瓦人在广州建立了一个小的钟表贸易"，"而且在那里挣到了很多钱"。中国这个极具潜力的市场曾引起著名

[1] Daniel J.Boorstin：The Discoverers, Random House, New York, 1983.

[2] Patek Philippe the International Magazine, Number 12, London, 2002.

[3]〈法〉费赖之著，冯承钧译：《在华耶稣会士列传及书目》第628页，中华书局，1995年。

启蒙思想家伏尔泰的注意，当时，他在自己的领地瑞士的费尔奈（Ferney）开办钟表作坊，为销售自己的钟表，他将目光投向了中国。1771年，伏尔泰写信给俄国女皇卡特琳娜二世，极力建议在中俄边界建立一个商栈以专门销售费尔奈生产的钟表，并开出了每只银表12至13卢布，金表每只不超过30到40卢布的诱人价格。尽管伏尔泰的计划最终未能实现，但从中不难看出中国市场对于瑞士钟表产地的巨大诱惑力[4]。应该说，钟表在早期瑞中交往中扮演着重要角色。

19世纪初，瑞士与中国开始直接贸易往来，钟表成为主要商品。瑞士钟表厂商纷纷来华开办钟表贸易公司，其中最著名的当属博维公司。居住在纽沙泰尔州弗洛利尔地区（Fleurier）的博维（Bovet）家族是瑞士杰出的钟表世家，1815年后，博维三兄弟移民英国，其中最小的弟弟爱德华·博维（Eduoard Bovet）于1818年来到广州，在一家英国贸易公司的办事处工作。他发现那种为迎合东方人口味而制作的钟表在这里非常受欢迎，销量很大，于是1822年他和两个哥哥一起成立了自己的钟表贸易公司。公司的生产基地在弗洛利尔，英国分公司负责发货，广州为销售中心。短短几年时间，博维公司发展成为东亚地区最大的钟表贸易公司。1830年，博维公司又在广州设立制作工厂，规模进一步扩大。即使是在鸦片战争爆发期间，公司的业务也没有受到影响。与此同时，瑞士其他钟表公司如Juvet、Dimier、Jacques Ullmann等也都依托各自的生产基地进军中国市场，并取得了相当不错的业绩，有的还在上海、天津、汉口等地建立了分公司。

为了使自己的产品更加为中国人所熟悉，瑞士各贸易公司和厂商采取了各种措施扩大影响。1840年，博维兄弟率先用中国商标名称“播喊”为自己的产品命名，此后其他公司亦纷纷效仿，出现了“怡喹”、“有喊”、“利喊”、“乌利文”等名称[5]，直到20世纪初，这些品牌的钟表仍然在市场上出售，深受中国消费者的欢迎。

故宫博物院所藏的瑞士钟表大部分是体量较小造型别致的座钟和精致的怀表。

座钟一般仿照建筑或山子等自然景观，除计时外，还配有水法、鸟音、魔术等变动机械，给人以耳目一新的感觉。

怀表大部分是为迎合中国消费者的审美需求而特别为中国市场制作的所谓“中国市场表”。其外观装饰精美，造型多样，别具匠心，除常用的圆形外，还有扇形、锁形、果实形、昆虫形等。表壳一般采用金、银、铜镀金等材质，有的在表壳上绘有人物、花卉、鸟兽等形象逼真的珐琅画，并镶嵌珍珠、钻石等贵重宝石。其机芯通常是俗称的“大八件”，各个夹板上通体雕刻或绘制精美细密的花纹，极为奢华。这些特点在故宫博物院所收藏的瑞士钟表中都有充分的体现。

‹4› 孟华：《启蒙泰斗伏尔泰向中国销售钟表的计划》，载《东西交流论谭》第二集，上海文艺出版社，2001年。

‹5› Watch the China World, Watch the World Publishing Ltd, Hongkong 1999.

Swiss Timepieces

By Guo Fuxiang

China and Switzerland long had exchanges in timepiece manufacturing and trade. In 1707, François Louis Stadlin (1658-1740) from Zug, Switzerland, arrived in China and during the Yongzheng reign (1723-1735) he became a famous clock and watch technician in the Palace. To sell Swiss timepieces to China, "Swiss merchants established a small clock and watch fair in Guangzhou" through agents, which was highly profitable. In the early nineteenth century, Switzerland began its direct trade with China, with clocks becoming the main commodity. Many Swiss manufacturers came to China to establish clock and watch trade companies, and the most famous was Bovet's. In 1818, Eduoard Bovet (1797-1849), the youngest of the Bovet brothers, traveled to Guangzhou and worked in an office of a British trading company. He found that timepieces that appealed to the taste of Chinese sold very well, so he and his brothers established their own clock and watch trading company in 1822. After only a few years, the Bovet Company grew to be the largest clock and watch trading company in East Asia. In 1830, Bovet's established a factory in Guangzhou and further expanded its scale. Even during the outbreak of the Opium War, the business of the company was not influenced. At the same time, other clock and watch companies in Switzerland, such as Juvet, Dimier, Jacques, and Ullmann also relied on their own production bases, entered Chinese market with considerable achievement. Some even established subsidiaries in Shanghai, Tianjin, and Hankou. To make their products better known to the Chinese people, Swiss trading companies and manufacturers adopted various measures to expand their influence. In 1840, the Bovet brothers used the Chinese name 'Bowei'. Other firms followed suit with names that phonetically resembled the original names such as 'Yina' for 'Guinand', 'Youwei' for 'Juvet', 'Liwei' for 'Levy', and 'Wuliwen' for 'Jaques Ullmann'. Much favored by Chinese consumers, these timepieces were sold in China until the early twentieth century.

The Swiss timepieces in the Palace collections are mostly small. The shapes of the clocks generally imitate architecture or rockery, and apart from keeping time, they are equipped with gears to simulate the sounds and motions of water and birds. Most of the clocks and pocket watches were accustomized to cater to the aesthetic requirements of Chinese consumers and were called "Chinese Market Watches". Beautifully decorated, they have a variety of shapes. Besides the common round shape, there are also forms inspired by fans, locks, fruits, and insects. The watchcases generally adopt materials of gold, silver, and gilded bronze. Some watchcases have enamel paintings in the shapes of vivid figures, flowers and animals, and embellished with pearls, diamonds, and other gems. The mechanisms are the so-called "big eight-pieces", with delicate and detailed flower patterns depicted or engraved on the wood in very luxurious way. These characteristics are fully embodied in the Swiss timepieces in the Palace Museum collection.

178

魔术钟

瑞士 19世纪 高70厘米 宽43厘米 厚26厘米

Clock with a magician
Switzerland Nineteenth century
70×43×26 cm

　　钟整体造型为古典建筑式样，上部尖顶内装钟表机芯，钟没有表盘，通过建筑顶端的两个小方框内的数字显示时间。建筑内有变魔术人表演，负责表演的机械在建筑的底座内。上足发条后，音乐响起，建筑前门自开，中间桌后坐一魔术师，桌上有两个杯子和一个盒子，魔术师先点头、眨眼，嘴作说话状，然后拿起杯子，桌上空无一物，扣上再提起时，左侧杯下有红珠子，右侧有绿珠子，扣上再提起，红绿珠子位置交换。然后再变小鸟失踪。魔术人表演的同时，屋顶的圆球打开，里面跳出小鸟展翅鸣叫。表演结束后，铃声响起，门关闭。

　　此钟以七盘发条为动力源，各组机械之间通过拉杆联动，机芯亦通过拉杆联动，整个机械成为有机的整体。设计巧妙，结构复杂，显示出极高的设计制作水平。

179

黑漆描金楼式钟

瑞士 20世纪 通高65厘米 长78厘米 厚39厘米

Clock with black-lacquered building
Switzerland Twentieth century
65×78×39 cm

　　钟为一座楼房别墅的模型。其砖石、栏杆、窗户雕绘十分精细，似有所本。别墅基座内装置八音乐曲机械，在座的左侧上弦。别墅中门为三针时钟，在背后上弦。

　　钟盘上有"Bovet Freres"款识，为瑞士著名钟表制造商和经销商博维(后移居英国)的产品。

178

179

180

铜镀金嵌珠缘画珐琅怀表
瑞士　18世纪　直径5.5厘米　厚1厘米

Pocket watch with the design of flowers and tree
Switzerland　Eighteenth century
Gilded bronze, enamel and pearls　5.5×1 cm

　　铜镀金表壳，表后盖为用珐琅料绘制的蓝地花坛树木花卉图案，表壳前后边缘镶嵌珍珠。白珐琅表盘，三针，在表后盖内用钥匙上弦。机芯以发条盒、塔轮、链条为动力源，带动齿轮传动系统。

　　此表为瑞士18世纪后期著名钟表制作大师Jaquet droz制作。

181

铜镀金嵌珠珐琅瓶式表
瑞士　18世纪　通高15厘米　宽6厘米　厚3厘米

Watch inlaid on a vase
Switzerland　Eighteenth century
Gilded bronze, enamel and pearls　15×6×3 cm

　　棕色珐琅香水瓶上嵌表，二针表在正面腹部，缘口处嵌米珠、红宝石。表摆在表盘上方的圆孔中显露。瓶背面腹部开光处，有妇女戴头花的画像。瓶有盖，盖下固定着给机械上弦的钥匙。此表功能多样，除走时外，还能报时、奏乐、问乐。

180

182

铜镀金嵌珠带座瓶式表

瑞士　19世纪　高19.7厘米　长8厘米　厚8厘米　表径3.5厘米

Watch inlaid on a vase

Switzerland　Nineteenth century
Gilded bronze and pearls　19.7×8×8 cm　Diameter of
the watch 3.5 cm

　　铜镀金底座，扁身双耳瓶。瓶身铜胎上烧
细密珐琅纹饰，口缘镶嵌红料石和珍珠。表嵌于
瓶腹，白珐琅表盘，双针，机芯很薄，瓶腹内机
芯后面还有负责奏乐的机械装置，不与机芯联
动，上弦后拨动瓶身侧面的扳钮，即可奏乐。瓶
盖即是钥匙。

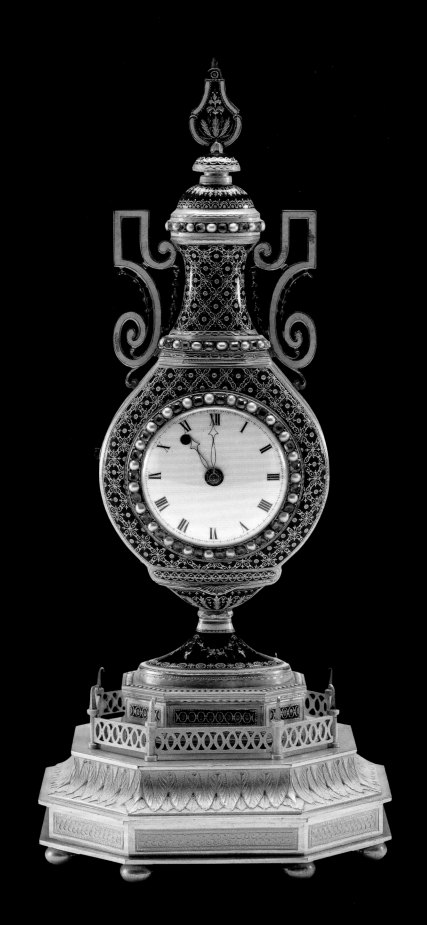

183

铜镀金珐琅人物怀表
瑞士　19世纪　直径4.3厘米　厚1厘米

Pocket watch with figure design
Switzerland　Nineteenth century
Gilded bronze and enamel　4.3×1 cm

　　此表用18K金做表壳，在前后盖的金质底胎上烧彩色人物珐琅画，其中前盖上绘着身着对襟褂的男子，后盖上绘一头戴两把头，身着清代满族妇女服装的女子。白珐琅表盘，单独秒圈。

　　表盘上有"JUVENIA"的厂标，表壳内侧亦有"18K"、"JUVENIA"的标记。可知此表是1860年创办的著名的瑞士尊皇表行制作的，很可能是中国人向该表行特别订做的纪念表。

184

铜镀金嵌珠珐琅蕃莲花式怀表
瑞士　19世纪　直径6.4厘米　厚1.8厘米

Pocket watch with passionflower design
Switzerland　Nineteenth century
Gilded bronze, enamel and pearls　6.4×1.8 cm

　　白珐琅三针表盘，表盘周围和背面饰深红色珐琅，用珍珠镶嵌成蕃莲花形。此表具有打时、打刻、打分功能，同时又是马表。

　　马表实际上是一种用来计算短暂时间的计时器。一按即行，再按即停。

183

184

185

铜镀金珐琅扇形怀表
瑞士　19世纪　扇长4.5厘米　宽4厘米　厚1厘米

Pocket watch with fan design
Switzerland　Nineteenth century
Gilded bronze and enamel　4.5×4×1 cm

　　这件扇形表上饰珐琅，正面凸起的女子戏
羊图圆形盖下是表盘，按表柄处表盖即可打开，
露出白色珐琅二针表盘。此怀表机芯很薄，旋转
表柄可上弦。

186

铜镀金珐琅锁式表
瑞士　19世纪　锁径3厘米　厚1.2厘米

Pocket watch with lock design
Switzerland　Nineteenth century
Gilded bronze and enamel　3×1.2 cm

　　表造型为锁式。表壳正面红色掐丝珐琅，
花纹上嵌珠。下部有珍珠嵌的钥匙孔，打开盖即
露出二针表盘，盘上有弦孔。表壳背面是一幅掐
丝珐琅画，黄发小童坐在花圈中，手举一柄嵌珠
大钥匙。
　　此表采用中国景泰蓝工艺，与众不同。

187

金嵌钻石别针蝉形表
瑞士　19世纪　蝉长5.2厘米　宽2.5厘米　表径0.8厘米

Watch inlaid in cicada-shaped brooch
Switzerland　Nineteenth century
Gold and diamonds　5.2×2.5 cm
Diameter of the watch 0.8 cm

　　蝉，金质嵌珐琅，眼用红宝石装饰，翅膀上
嵌有钻石，背上镶一二针小表。按动表把，翅膀
展开露出小表。从尾部上弦。在蝉嘴部有一环，
腹部有别针，既能悬挂又可别在衣服上。

188

金嵌钻石天牛表
瑞士　19世纪　天牛长4.1厘米　表径1厘米

Watch inlaid in long-horned-beetle-shaped brooch
Switzerland　Nineteenth century
Gold and diamonds　Length 4.1 cm　Diameter of the watch 1 cm

　　天牛，金质嵌珐琅，天牛眼睛用红宝石装
饰，翅膀上嵌有钻石，背上镶一二针小表。按动
表把，翅膀展开露出小表。从尾部上弦。在天牛
嘴部有一环，腹部有别针，既能悬挂又可别在衣
服上。

185

186   187   188

189

铜镀金珐琅仕女抚琴怀表

瑞士　19世纪　直径3.2厘米　厚0.8厘米

Pocket watch with girl holding musical
instrument

Switzerland　Nineteenth century
Gilded bronze and enamel　3.2×0.8 cm

　　铜镀金珐琅壳，白珐琅表盘上嵌三根蓝色
钢针，罗马数字表示时间。表壳背面镶一少女
半身像。表缘口及表环嵌珍珠，表把处可上弦。

190

金质嵌珠缘珐琅仕女持花怀表

瑞士　19世纪　直径5.3厘米　厚1.9厘米

Pocket watch with girl holding flowers

Switzerland　Nineteenth century
Gold, enamel and pearls　5.3×1.9 cm

　　表为金质，正反两面缘口均镶珍珠。正面
置白色珐琅盘，表盘中间为三针表，后面是以蓝
色珐琅为底的人物画，一年轻女子坐于山石花
草中。此表打时、打刻、打分带马针，也称为马
表。在怀表壳侧面有一小按柄，轻轻一按，就会
报时、报刻、报分。
　　此表构造复杂，功能多，是表中的精品。

191

铜嵌玻璃球式表

瑞士　19世纪　通高17厘米　表径6厘米

Watch with crescent design

Switzerland　Nineteenth century
Copper and glass　Height 17 cm
diameter of the watch 6 cm

　　铜镀金弯月形表架，架身正面嵌温度计，表
挂于架顶的挂钩上。小表白珐琅表盘，双针，除
12小时标识外，还有4个小时圈，分别表示秒、星
期、月历、12月，通过表把上弦。表两面用玻璃半
球镶嵌在机芯外圈口上成为前盖后壳，使整个
表看起来像一个圆球，透过玻璃球内部机械清
晰可见，设计颇具匠心。

189

190

192

铜镀金珐琅壶式表

瑞士　19世纪　通高10.1厘米　底径3.5厘米

Watch inlaid in a vase

Switzerland　Nineteenth century
Gilded bronze and enamel　Height 10.1 cm
Diameter at the bottom 3.5 cm

　　此表为铜镀金珐琅壶式造型，壶腹在铜质底胎上烧绘菱形装饰图案，两面开光处嵌枝头小鸟和瓶插花卉珐琅画，画周围嵌珠。壶把呈S形，雕卷叶纹，壶流为佩戴王冠的鹰头。打开透明玻璃做成的壶盖，可见壶内水平嵌一双针小表，白珐琅表盘，表盘周围分布山石，里边一只小鸟站在用米珠做成的树枝间跳跃鸣唱，小鸟身后为上弦孔。整个表的机械全部藏在壶腹之内，上弦后，拉动壶把下面的细绳，小鸟即可转身，张嘴鸣叫。

　　此表为生活于18、19世纪的著名鸟音装置制作者Frisard的作品，精彩之中显示出大师的才情。

193

金壳打簧怀表

瑞士　19世纪　直径4.7厘米　厚1.1厘米

Pocket watch with spring

Switzerland　Nineteenth century
Gold and enamel　4.7×1.1 cm

　　用18K金做表壳，通体素面无纹饰，通过表把上弦。打开前盖，可见表盘罩在玻璃表蒙内，白珐琅表盘位于中间，双针，下部为单独秒圈及秒针。表盘周围围绕着四位手臂可活动的珐琅人，分别为敲钟人、奏乐人和雕刻工匠，上面的小天使也能左右移动。打开后盖，可以看到机芯，白钢机件，结构十分复杂。推动表侧的推把，敲钟人敲钟报时，其他的人同时活动。是当时流行的打簧活动人物表。

192

193

194

金珐琅镶钻石石榴别针表
瑞士 19世纪 石榴径1.6厘米 表径1厘米

Watch inlaid on pomegranate-shaped brooch
Switzerland   Nineteenth century
Gold, enamel and diamonds
Diameter of the pomegranate 1.6 cm
diameter of the watch 1 cm

　　石榴形状，在石榴的顶部嵌一小表。石榴叶后面有别针。按顺时针方向转动石榴的上半部可把弦上满。

　　石榴别针表既是造型新颖的计时器，又是一件精美的工艺品。

195

木质镶表八音盒
瑞士 19世纪 高67厘米 长102厘米 厚50厘米

Watch inlaid on a music box
Switzerland   Nineteenth century
Wood   67×102×50 cm

　　八音盒正面嵌一两套两针表，从表盘下部的弦孔上弦。盒盖内侧镶玻璃镜，支起后可通过其反射从前面看到八音盒里面的机械。盒内为八音机械装置，左侧有上弦用的扳手，右侧有三个键，分别负责开关、定乐、换乐。

　　通过左侧扳手上弦启动后，能奏出钢琴、风琴乐，同时击鼓、敲钟碗，形成合奏。上满弦后，演奏十几首乐曲。伴随着优美的乐声，通过联动杆，盒前侧花草丛中的小鸟会欢快地跳跃鸣叫，犹人在田园的感觉。

194

195

钟表历史大事年表

关雪玲

周王朝　已设有管理时间的专职机构。据《周礼·夏官·司马》记载挈壶氏主管漏刻测时,鸡人专门负责报时。

公元前654年左右　《周礼·地官·司徒》和《周礼·冬官·考工记》等记载中国使用圭表。

117年　张衡制造出大型天文计时仪器——漏水转浑天仪。它用漏水驱动浑象进行天文测量,并通过齿轮等机械结构显示日历,初步具备了机械性计时器的作用。

725年　唐代的张遂和梁令瓒制成水运浑象。它以水力带动浑象运转,进行天文测量,通过齿轮系和日、月二轮环分别显示日、月,设置两个人偶击鼓报刻,撞钟报辰。具备了钟表擒纵器的一切要素。

1088年　宋代苏颂、韩公濂等创制水运仪象台。采用由天关、天锁、关舌等组成的天衡机构,控制枢轮作等速运动,此机构的作用类似于近代机械钟表的擒纵机构。在世界钟表技术史上占有重要的地位。

1276年　元代郭守敬设计、制作了大明灯漏。这是一台专门用以计时的机械钟。通过齿轮系及相当复杂的凸轮机构,带动木偶进行一刻鸣钟,二刻鼓,三钲,四铙的自动报时。

1360年　德国的钟表师德·比库为法国国王查理五世制造了一个大钟,大钟的机芯是铁制的,控制装置采用冕状轮擒纵机构,钟面仅有一根时针。它的出现标志着钟表技术的巨大飞跃。在这以后的相当长时间内成为机械钟的标准形状。

1500～1510年　德国亨莱因发明了发条,此后才有了自由携带的怀表。

16世纪初　出现了以发条为动力的小型机械钟。

1582年前后　意大利的伽利略发表了摆的等时性学说,进而发明了重力摆。

1601年　意大利传教士利玛窦向万历皇帝进献自鸣钟,用钟表敲开皇宫大门,此举对中国近代机械钟表的制造产生了相当大影响,各地掀起了仿制高潮。

1611年左右　据《金陵琐事》记载黄复初在南京仿制出自鸣钟。黄复初是目前所知中国仿制自鸣钟的第一人。

1640年　西洋传教士中精通钟表机械的葡萄牙人安文思来华。

1644～1661年（顺治时期）　受西洋机械钟表的影响,清宫中开始仿制钟表。同时西洋传教士中的钟表机械师陆续进入宫廷从事钟表制造。

1657年　荷兰的惠更斯把重力摆引入到机械钟,制成世界上第一只摆钟。

1660年　英国胡克发明游丝,并用后退式擒纵机构代替冕状轮擒纵机构,提高了钟的走时精度。

1662～1722年（康熙时期）　宫中设立制作钟表的作坊,一批西洋传教士供职宫中,亲自制作或指导工匠制造钟表。同时,广州的钟表业逐渐兴起,并制作钟表进献宫中。

1673年左右　惠更斯成功地用摆轮游丝系统,替代了钟摆。惠更斯的重大发明,使得钟的走时精度大为提高,钟的外形小型化成为可能。这为制造便于携带的钟表创造了条件。

1675年　英国克莱门特制成最简单的锚式擒纵机构,这种机构一直沿用在简便摆锤式挂钟中。

1676年　丹尼尔·夸尔发明在表盘中心安装两根指示时、分的长短针，并沿表盘周围刻写时、分，这种形式一直沿用至今。

1680～1700年　珐琅首次在钟表上使用，此后珐琅成为钟表上主要装饰手法。

1695年　西洋传教士中精通钟表机械的瑞士人林济各来华。

1715年　英国格雷汉姆完善了工字轮擒纵机构并以他的名字命名。

1716年　西洋传教士中精通钟表机械的波西米亚人严嘉乐来华。

1723～1735年（雍正时期）　宫中钟表制造日益兴盛，传教士、匠役、做钟太监组成的技术队伍保证了钟表生产的规模。

1728年　西洋传教士中精通钟表机械的法国人沙如玉来华。雍正晚期在宫中服务根据雍正帝需要发明了更钟。

1728～1759年　英国哈里森制造出高精度的标准航海钟。

1736～1795年　乾隆时期是中国钟表制造的鼎盛时期，仅在宫中制作钟表的从业人员就达100多人。清宫做钟处成为全国规模最大，生产钟表造价最高，装饰最为豪华的生产中心。广州也在此时制作了大量装饰精美，结构复杂的钟表。

1738年　西洋传教士中精通钟表机械的法国人杨自新、席澄源来华。

1759年　英国托马斯·姆治发明马式擒纵机构，这是继工字轮擒纵机构之后，最常见的擒纵机构之一。

1766年　西洋传教士中精通钟表机械的法国人汪达洪来华。

1770年　西洋传教士中精通钟表机械的法国人李衡良来华。

1773年　西洋传教士中精通钟表机械的李俊贤来华。

1784年　西洋传教士中精通钟表机械的意大利人德天赐来华。

1785年　西洋传教士中精通钟表机械的法国人巴茂正来华。

1796年（嘉庆元年）　徐朝俊编著的中国古代惟一一部钟表专著《自鸣钟表图法》成书。嘉庆十四年刊刻。此书总结了徐朝俊本人和其他中国钟表匠的技术、经验，体现了当时钟表的制造水准。

1796年以后　清宫做钟处生产能力逐渐式微。

1796～1850年（嘉庆、道光时期）　南京、苏州的钟表业蓬勃兴盛。据不完全统计，南京手工作坊一度达40家，苏州30家，杭州17家，宁波7家。

1842年　菲利浦做出第一个带有上弦柄的怀表，此前的表都是用钥匙上弦。

1850年以后　中国钟表制造业整体渐衰。

1876年　瑞士普杰特研制出第一个带秒针的怀表。

后　记

　　经过多年的精心筹划和准备，新的钟表馆将于今年10月正式接待游客。为配合展览，使观众更好地了解这些珍贵的收藏，故宫博物院特编印了这本《故宫钟表》。

　　郭福祥、关雪玲、恽丽梅、张楠平四人承担此书的文物提照、文字编撰工作。在共同商定全书框架，选定文物后，又进行了具体分工。郭福祥先生撰写总论、瑞士钟表分论及法国、瑞士钟表条目的说明；关雪玲女士撰写中国钟表分论、钟表历史大事年表及中国钟表条目的说明；恽丽梅女士撰写英国钟表分论及英国钟表条目的大部分说明；张

楠平先生撰写法国钟表分论及部分英国钟表条目的说明。初稿完成后，根据责任编辑的意见，又经过了反复修改，最后全稿由郭福祥、关雪玲审定。特别是关雪玲女士对全部文物说明进行了修改润色，有些条目甚至是重写，其繁难程度可以想见。宫廷部陈丽华主任自始至终把图录的编辑出版作为宫廷部的一项重要工作，多次召集有关人员商讨具体事宜，多方协调，使图录编撰工作按期完成。文物管理处、信息资料中心、展宣部等部门和同仁也给予了大力协助。特致谢意。

编　者

2004年9月

出版后记

　　《故宫经典》是从故宫博物院数十年来行世的重要图录中，为时下俊彦、雅士修订再版的图录丛书。

　　故宫博物院建院八十余年，梓印书刊遍行天下，其中多有声名皎皎人皆瞩目之作，越数十年，目遇犹叹为观止，珍爱有加者大有人在；进而愿典藏于厅室，插架于书斋，观赏于案头者争先解囊，志在中鹄。

　　有鉴于此，为延伸博物馆典藏与展示珍贵文物的社会功能，本社选择已刊图录，如朱家溍主编《国宝》、于倬云主编《紫禁城宫殿》、王树卿等主编《清代宫廷生活》、杨新等主编《清代宫廷包装艺术》、古建部编《紫禁城宫殿建筑装饰——内檐装修图典》数种，增删内容，调整篇幅，更换图片，统一开本，再次出版。惟形态已经全非，故不再蹈袭旧目，而另拟书名，既免于与前书混淆，以示尊重；亦便于赓续精华，以广传布。

　　故宫，泛指封建帝制时期旧日皇宫，特指为法自然、示皇威、体经载史，受天下养的明清北京宫城。经典，多属传统而备受尊崇的著作。

　　故宫经典，即集观赏与讲述为一身的故宫博物院宫殿建筑、典藏文物和各种经典图录，以俾化博物馆一时一地之展室陈列为广布民间之千万身纸本陈列。

　　一代人有一代人的认识。2007年修订再版五种，2008年修订再版三种，分别为《明清帝后宝玺》、《明清宫廷家具》、《故宫钟表》。今后将继续选择故宫博物院重要图录出版，以延伸博物馆的社会功能，回报关爱故宫、关爱故宫博物院的天下有识之士。

2008年4月